# APPARITION
## ET AUTRES CONTES D'ANGOISSE

*Œuvres de Maupassant*
*dans la même collection :*

GUY DE MAUPASSANT

# APPARITION

## ET AUTRES CONTES D'ANGOISSE

*Établissement du texte,
introduction, bibliographie et notes
par*
Antonia FONYI
C.N.R.S.

*Chronologie
par* Pierre COGNY

GF
FLAMMARION

*On trouvera en fin de volume une bibliographie et
une chronologie.*

# INTRODUCTION

## L'INCONSISTANT
## APPROCHES DU FANTASTIQUE
## DE MAUPASSANT

Un beau jeune homme, robuste et niais, ne sait pas ce qu'est la peur. Il part pour l'apprendre. En vain il traverse épreuve sur épreuve, elles ne lui font obtenir que la main de la princesse et la moitié du royaume. Il continue donc à se plaindre : « Si seulement je pouvais avoir peur ! » Son épouse s'impatiente à la fin, fait chercher un seau d'eau plein de goujons, et, quand le jeune roi est profondément endormi, elle le découvre tout à coup et vide sur lui l'eau froide où frétillent les petits poissons. « Ah ! que j'ai peur ! ma chère femme, je frémis de peur ! » Désormais, ils vécurent heureux, et ils eurent, tout porte à le croire, beaucoup d'enfants.

Dans ce conte populaire [1] la peur est identique au désir amoureux : l'homme ne peut l'apprendre que de la femme, dans le lit conjugal, par la surprise d'un frémissant épanouissement érotique. Raisonneuses même quand elles touchent à l'irrationnel, les œuvres littéraires ne tolèrent pas les cris de joie au comble de la terreur. Pourtant, l'amour et la peur vont de pair d'habitude dans les contes fantastiques : Hoffmann fascine parce qu'il fait vivre à ses personnages de mauvais bonheurs amoureux, Poe effraie par la sexualité d'outre-tombe de ses créatures sadiques. Le lecteur est satisfait : il a frissonné de plaisir.

On aurait beau chercher ce plaisir dans les contes d'angoisse de Maupassant. L'amour y manque, ou si, très rarement, il apparaît, ce n'est qu'à la surface, comme pour masquer son propre manque. A sa place surgit ce que nous appellerons « l'inconsistant », et qui est à l'amour ce que l'angoisse est à la peur. Les héros des contes populaires ne veulent pas connaître cela, les princesses ne peuvent l'enseigner. Mais notre tâche, ici, est d'essayer de savoir ce que c'est, d'analyser ce malaise dans ses détails pénibles, avec des précautions pénibles, pour saisir l'inconsistant sans le dénaturer ; de partager, pour le comprendre, le sentiment d'insécurité qui inspire ces contes et qui nous révulse. Adieu, princesses.

LE TERREAU BIBLIOGRAPHIQUE.

Maupassant n'a jamais été amoureux. Les témoignages, la correspondance, l'œuvre accusent ce manque. Pour l'adepte de Schopenhauer ce fut un choix : l'amour est l'appât que la nature a mis autour du piège de la reproduction. Choix aussi pour l'homme qui refuse d' « enchaîner [sa] vie » : « je me sens incapable d'aimer une femme parce que j'aimerai toujours trop toutes les autres » (*Lui ?*, p. 53). Mais dans *Sur l'eau*, qu'il considère comme son journal intime, Maupassant se plaint d'une violente douleur provoquée par la vue de deux êtres tout à leur amour : « Un bonheur m'avait frôlé, que je ne connaissais point et que je pressentais le meilleur de tous. [...] je sentis en mon cœur un tel désir d'aimer que je faillis crier de détresse [2]. »

Le héros de la *Lettre trouvée sur un noyé* meurt de cette détresse parce qu'il n'a jamais rencontré la femme idéale. Celui de *Solitude* sait que ni elle ni l'amour n'existent : « Elle et moi, nous n'allons faire qu'un, tout à l'heure, semble-t-il ? Mais ce tout à l'heure n'arrive jamais, et, après des semaines d'attente, d'espérance et de joie trompeuse, je me retrouve [...] plus seul que je ne l'avais encore été » (p. 71) ; plus seul, endolori, meurtri, parce que « quand nous voulons nous mêler, nos élans l'un vers l'autre ne font que nous heurter l'un à l'autre » (p. 69-70). Ne vaut-il pas mieux vouloir sa solitude ? « Je vis seul, fort bien, pendant des semaines, sans aucun besoin d'affection[3] », dit Maupassant de lui-même. Pendant des semaines... mais le besoin ne resurgit-il pas après, d'autant plus impérieux qu'on désespère de le satisfaire ?

Vécu ambivalent, cette solitude liée à la carence d'amour s'impose ici comme un problème qui doit guider nos réflexions : le présent volume fait suite au *Horla et autres contes d'angoisse* (GF 409), les deux contenant l'ensemble des récits de Maupassant appelés « fantastiques » et ceux qui en sont proches[4] ; or, chez Maupassant, c'est la solitude qui engendre les monstres. Contes d'angoisse : contes de solitude. Contes de la psychose, avons-nous dit dans l'introduction du *Horla* ; c'est vers des terreurs psychotiques, cette fois aussi, que nous suivrons le solitaire.

« Je suis seul, vraiment seul, vraiment libre. [...] je flotte dans un logis ailé [...] qui erre sur l'eau, au gré du vent, sans tenir à rien[5]. » Le bonheur exaltant de la solitude vient de l'affranchissement des attaches, des servitudes terrestres. Ceux que blesse cette fuite seront repoussés : « Eh bien, qu'on ne s'attache pas à moi ! Personne ne comprendra donc l'affection sans y joindre une idée de possession et de despotisme. [...] les liens qui nous unissent semblent terminés avec des nœuds coulants. Cette inquiétude affectueuse, cette jalousie soupçonneuse, contrôleuse, cramponnante des êtres [...] qui se croient enchaînés l'un à l'autre parce qu'ils se sont plu, n'est faite que de la peur harcelante de la solitude qui hante les hommes sur cette terre[6]. » Passion de l'indépendance et, surtout, peur des chaînes, des nœuds coulants. Danger physique, mortel, ou, pire encore, danger de l'effondrement psychique : « dès qu'on se mêle aux autres hommes », la « personnalité » disparaît, « devenant une infime parcelle d'une vaste et étrange personnalité[7] » ; « Ceux qui tentent de résister [...] se débattent en vain au milieu des liens menus, irrésistibles, innombrables et presque imperceptibles. Puis on cesse bientôt de lutter, par fatigue [8]. »

Cette peur qui soutient l'éloge de la solitude s'explique à partir de l'angoisse fondamentale, présente dans toute l'œuvre, et dont nous avons cherché à éclairer les origines inconscientes dans l'introduction du *Horla* : peur d'une imago maternelle monstrueuse, de la Femme sans tête dont le corps omniprésent emprisonne l'enfant pour l'étouffer dans l'utérus, pour l'étrangler avec le cordon ombilical. Redoutés, les « liens », les « chaînes », les « nœuds coulants » de l'affection, de l'amour, renvoient à l'appareil maternel. Plus redoutable encore, parce qu'elle est en rapport direct avec la prédisposition psychotique, apparaît l'idée de « se mêler » aux autres, à une autre, de retomber dans l'état où le moi n'existe pas, où l'on n'est qu' « une infime parcelle [de la] vaste et étrange personnalité » de cette mère des temps immémoriaux avec laquelle on vit en fusion. Mais existe-t-il d'autres relations que fusionnelles pour qui doit subir, sous l'effet de ces fantasmes inconscients, la hantise du même ? Tout est elle, la Mère-Nature omniprésente, donc tout se ressemble ; tous sont nés d'elle, donc tous se ressemblent. « Se mêler », c'est être du même, le même. Et puisque tout est même, les relations le sont aussi. Tout est fusion. Dans l'amour, c'est « nous » qui « voulons nous mêler » (*Solitude,* p. 69) : il n'y a pas de toi, pas d'objet. Mais lorsqu'on veut se séparer de la Mère-Terre pour « errer au gré du vent, sans tenir à rien », on accède à un bonheur solitaire où il n'y a pas, non plus, d'objet.

Maupassant n'a jamais été amoureux : son désir n'a pu jamais se fixer sur un objet, il n'a jamais connu un « être » qui est « unique, car dans toute l'étendue de la terre il n'en existe pas un second qui lui ressemble » (*La Tombe,* p. 106). Nombreuses sont les histoires d'amour dans son œuvre ; elles traitent du même mal, d'une illusion qui se déchire pour laisser entrevoir derrière tous les visages féminins comme derrière toutes les figures d'amants aux moustaches effilées, sanglés dans leur habit, l'étrangleuse primordiale. L'objet aimé n'est donc ni unique ni autonome : sorti pour un moment du même éternel dont il n'est qu'un masque fragile, ses charmes dissipés, il y retournera. La solitude protège aussi bien de ce feu follet, de la déception que préserve son inconsistance, que du gouffre où il entraîne les dupes.

Mais c'est une mauvaise défense. Dans ses jeunes années, Maupassant en fait facilement l'aveu. « J'ai froid plus encore de la solitude de la vie que de la solitude de la maison [9]. » « J'éprouve souvent, quand je me trouve seul [...] des moments de détresse si complets que je ne sais à qui me jeter [10]. » Ignorance innocente ? La destinataire de ces lettres est Mme de Maupassant, son rôle important dans la vie de son fils — elle est confidente, inspiratrice et objet de continuelles préoccupations — nous oblige à y insister. Appelée dans la détresse, elle vient la partager, apparaissant dans un miroir imaginaire. « [...] je m'effraye beaucoup pour toi de ta solitude absolue où tu vas te trouver cet hiver [...] ; et bien souvent, certainement, pendant les interminables soirées d'hiver quand je serai seul à travailler dans ma chambre, il me semblera t'apercevoir, assise sur une chaise basse et regardant fixement ton feu [...] [11]. » « Je me trouve si perdu, si isolé, et si *démoralisé* que je suis obligé de venir te demander quelques bonnes pages [12] » ; à cette demande s'ajoute, dans la même lettre, l'envoi de quelques pages de conte, avec prière de les renvoyer ; qui demande, qui répond, qui écrit à qui ? « Il y a des moments où ma tête est comme brisée et où je me demande *positivement* si je veille ou si je rêve [13] », écrit vers la même époque Laure de Maupassant à Flaubert.

Ce qui importe ici est l'étrange identification à cette mère qui, après avoir éloigné d'elle son mari et après le départ de ses enfants, passe de « longues soirées [...] seule à rêver tristement [14] ». Elle a des crises de suffocation, elle tentera de s'étrangler avec ses cheveux; connaîtrait-elle, elle aussi, le spectre de la Femme sans tête ? Elle a donné le jour à deux fils qui mourront fous. Si elle est cause de la solitude de Maupassant, ce n'est pas seulement parce qu'une affection trop forte les attachait, mais, surtout, semble-t-il, parce qu'elle a préparé le terrain pour la psychose, ne serait-ce que par le modèle qu'elle a proposé. C'est la syphilis qui est responsable de la mauvaise mort de Maupassant, précédée de la pire agonie. Mais elle fait éclore, en s'y ajoutant, une prédisposition psychotique qui se laisse lire dans l'œuvre. Celle-ci apparaît comme la création d'une personnalité insuffisamment consolidée à cause du peu de consistance du complexe d'Œdipe, clé de voûte de l'édifice psychique, moment où le même se partage définitivement grâce à la reconnaissance de la différence des sexes, et où le moi se fortifie dans les luttes amoureuses. Quant à cette mère à qui le fils s'identifie en empruntant ses migraines et sa solitude, elle n'est pas un objet sexuel en premier lieu, elle n'est pas une mère œdipienne, mais une mère de malade. Maupassant n'a pas pu connaître l'amour.

Cette incursion dans la biographie éclaire la production du fantastique chez Maupassant. La solitude absolue étant inviable, des fantômes viendront. Le premier est la mère, apparue dans un miroir, fantôme de la ressemblance, du même obsédant. Ceux qui lui succéderont dans l'œuvre ne seront pas non plus des créatures de rêves d'amour, mais des reflets, des ombres, des images spéculaires. Des êtres inconsistants, objets éphémères d'un désir qui ne parvient pas à se constituer en amour.

L'ÊTRE INCONSISTANT.

1. *Le fantastique, catégorie à contours flous.*

« A mesure qu'on lève les voiles de l'inconnu, on dépeuple l'imagination des hommes. [...] Plus de fantastique, plus de croyances étranges, tout l'inexpliqué est explicable. [...] Not e terre m'apparaît aujourd'hui comme un monde abandonné, vide et nu. » (*La Peur*, p. 96.) Corrigeons un mot : ce n'est pas le fantastique qui est condamné, Maupassant en fait, d'autres en feront ; c'est sa source extérieure qui a tari.

De ce vide où un homme abandonné regrette ses terreurs disparues, Maupassant rend responsable l'évolution historique et intellectuelle qui a imposé une amère émancipation des âmes : les conditions socio-économiques veulent l'hégémonie de l'argent qui réduit toutes les valeurs, sociales, morales, spirituelles, à son propre anonymat ; les explorations philosophiques et les découvertes scientifiques, en rationalisant l'univers, ouvrent le regard sur des infinis sans Dieu, homogènes, uniformes. Tout cela conduit à la hantise du même, entrecoupée d' « élans impétueux », mais voués à l'inaboutissement, « vers l'au-delà, vers d'autres choses, vers l'immense mystère de l'Inexploré [15] ».

Toutefois, les raisons historiques de la nouvelle orientation que Maupassant s'oblige à donner au fantastique ne seraient pas impérieuses sans le renfort de la carence amoureuse. Pas d'objet autonome, pas d'autre, donc pas de terreurs ou d'émerveillements dont la source est le monde extérieur. Pas de vieille mendiante qui revêt la nuit la splendeur de la Reine de Saba, pas de statue qui rejoigne le fiancé dans le lit nuptial, pas de morte amoureuse ; l'épanouissement érotique qu'apporte la puissante existence des femmes surnaturelles chez Nodier, Mérimée, Gautier, est ignoré par Maupassant. Chez lui, les apparitions s'appellent des « êtres », elles sont mal définies, évanescentes, de vraies ombres, celles du solitaire qui projette son manque sur les murs de sa prison ; des ombres faites d'ombre — « Il est [...] dans tous les coins obscurs, dans toutes les ombres » (*Lui ?*, p. 60) —, créées dans la matière d'un monde inconsistant.

Sous l'effet, peut-être, d'une extension pernicieuse de cet effacement des contours des « êtres », la catégorie du fantastique n'aura pas de limites précises chez Maupassant. Selon certains critiques — Alberto Savinio fut le dernier à développer cette thèse, avec une force de conviction puisée dans l'intelligence de la souffrance [16] —, les contes de Maupassant se divisent en deux groupes, réalistes et fantastiques, les premiers conçus dans un état de robuste et banale santé, les seconds laissant percer, de plus en plus fort à mesure qu'avance l'œuvre de la destruction, la voix de la maladie. Pour nous, la maladie est partout présente. S'il y a une différence entre les récits que nous appelons « contes d'angoisse » et les autres, elle tient à deux traits psychologiques fortement marqués qui caractérisent les premiers : l'angoisse y apparaît à l'état nu, et l'anecdote est régie par l'autodestruction. Les deux phénomènes sont liés à la solitude. C'est à cause d'elle que l'angoisse ne peut pas se déguiser en peur d'un danger réel — Maupassant insiste souvent sur la différence entre « les dangers véritables » et « les dangers imaginaires » (*Apparition*, p. 44) —, mais reste un affect à source imprécise. Quant à l'autodestruction, elle est, par définition, un acte de solitaire. Ajoutons qu'ici elle n'est pas déclenchée, comme dans d'autres récits, par un mobile extérieur, elle n'est pas la conséquence d'une déception, d'une perte, d'un remords ; ici, elle est une immanence, une nécessité qui agit en tant que force intérieure pathologique.

C'est un fantastique nouveau, proche d'un réalisme psychologique, ou, mieux, psychopathologique, qui s'élabore ainsi à partir du manque d'objet, de l'impossibilité de s'appuyer sur un monde extérieur autonome. On ne peut « rattacher Maupassant à toutes sortes de traditions du fantastique », déclare Louis Forestier ; « en faire seulement l'un des multiples illustrateurs du thème du double, d'après Musset, Poe, Hoffmann. [...] Le fantastique, chez Maupassant, ce n'est pas l'intrusion brutale des phénomènes étranges dans la vie quotidienne » — non, puisqu'il est sécrété par le sujet lui-même ; « le fantastique c'est

tout ce qui rôde hors de l'homme et dans l'homme »
— le mot « rôder », souvent employé par Maupassant, désigne le mode d'action et d'existence des
« êtres » insaisissables; « c'est la débâcle de la
conscience [...] [17]. » Certes, les désarrois psychologiques sont à l'origine, comme le remarque Marie-Claire
Bancquart, de toute une « littérature de l'étrange qui
fleurit entre 1880 et 1890 » : Villiers de l'Isle-Adam,
Octave Mirbeau, Marcel Schwob, Claude Farrère,
Jean Lorrain écrivent tous de l'« impossibilité de
situer nettement le Moi ». Mais Maupassant aura
recours, et c'est en cela que réside sa différence, à des
choses à « contours flous » pour créer son « fantastique [...] purement intérieur » — c'est toujours Marie-
Claire Bancquart que nous citons —, parce que « la
passivité dans la liquéfaction est propre [à son]
tempérament [18]. »

De cette importance du « flou » — de l'inconsistant
— dans son œuvre fantastique, Maupassant est
conscient, tout au moins sur le plan esthétique. Son
idéal dans ce domaine est Tourguéniev qui « n'entre
point hardiment dans le surnaturel, comme Edgar Poe
ou Hoffmann », mais se contente de « laisser entrevoir
tout un monde de choses inquiétantes, incertaines,
menaçantes. [...] Avec lui, nous sommes brusquement
traversés par des lumières douteuses qui éclairent
seulement assez pour augmenter notre angoisse. » (*La
Peur*, p. 98.) Ces doutes indéfinis ne sont pas
identiques à l'hésitation entre le rationnel et l'irrationnel, caractéristique principale du fantastique selon la
définition devenue classique de Tzvetan Todorov [19].
Au sens strict de cette théorie, trois seulement des
contes de ce recueil peuvent être appelés fantastiques :
*Apparition, La Nuit, Qui sait?* ; les autres relèvent de
l'étrange : rêveries macabres, catastrophes aberrantes,
cas pathologiques. Mais quelle que soit la dénomina-
tion, tous ces récits, jusqu'à cette histoire tristement
réaliste qu'est *Promenade,* sont conçus sous un même
signe, celui de l'indéterminé, du non-structuré, qui
doit apparaître sous la forme informe de l'« être » au

paroxysme de l'angoisse : à la fin de sa promenade fatale qui lui fit découvrir sa solitude irrémédiable, M. Leras « entendit [...] une rumeur sourde, proche, lointaine, une vague et énorme palpitation de la vie : le souffle de Paris, respirant comme un être colossal » ; ce fut sa dernière perception ; ensuite, c'est une jeune femme qui perçoit, épouvantée, « quelque chose de brun » — indéterminé — dans un arbre : le cadavre du solitaire, victime d' « un suicide dont on ne put soupçonner les causes. Peut-être un accès subit de folie ? » (P. 94.)

La signature de Maupassant est ce « peut-être ? » final. Son fantastique n'est pas construit sur des oppositions claires, sur cet « ou bien/ou bien » radical qui est le fondement des œuvres de ses prédécesseurs. Catégorie à contours flous, c'est le domaine du « peut-être ? » effaré qui n'est pas une question posée au monde, mais l'expression d'une perte de confiance en la solidité des jugements, des choses, du moi. C'est « une eau dont le fond manque à tout instant », « une confusion pénible [20] » : le domaine de l'inconsistant.

## 2. L'histoire fantastique : l'« être » en action.

Comme c'est Tourguéniev que Maupassant désigne comme modèle, nous tâcherons d'établir le schéma de son conte fantastique à partir d'une histoire qu'il dit avoir entendue de Tourguéniev et qu'il rapporte pour illustrer « la vraie peur », cette « convulsion [de] l'âme » bien différente de l'émotion provoquée par les « dangers visibles » (La Peur, p. 97).

Parti seul pour chasser, le jeune Tourguéniev arriva au bord d'une rivière « pleine d'herbes flottantes ». « Un besoin impérieux [...] de se jeter dans cette eau transparente » le saisit. « Il se laissait flotter doucement, l'âme tranquille, frôler par les herbes et les racines, heureux de sentir contre sa chair le glissement léger des lianes. » (P. 98-99.) Cette solitude heureuse, ce sentiment de liberté que donne le flottement sur l'eau, seront troublés par l'apparition d'un « être effroyable ». « Cela ressemblait à une femme ou à une guenon. [...] Deux choses innommables, deux mamelles sans doute, flottaient devant elle, et des cheveux démesurés, mêlés [...] entouraient son visage et flottaient dans son dos. » L'« être » se mit à poursuivre le nageur, « il lui touchait le cou, le dos, les jambes ». Menacé dans tout son corps par le contact du « monstre indéfini », « Tourguenieff se sentit traversé par la peur hideuse, la peur glaciale des choses surnaturelles ». (P. 99.) Il sortit de l'eau, s'élança dans le bois, et lorsque, toujours poursuivi, « à bout de force et perclus de terreur », il était sur le point de tomber, un berger accourut et se mit à frapper « l'affreuse bête humaine » qui se sauva. « C'était une folle, qui vivait depuis trente ans dans ce bois [...]. » (P. 99.) Le chasseur est délivré, mais l'écrivain reste marqué par le souvenir de sa peur. Il raconte son histoire « affaissé dans un grand fauteuil, les bras pendants, les jambes allongées et molles », « noyé dans ce grand flot de barbe et de cheveux d'argent qui lui donnaient l'aspect d'un Père éternel ou d'un Fleuve d'Ovide » (p. 98). Une double métamorphose suit donc l'événement : Tourguéniev est devenu le conteur fantastique idéal, un grand créateur, « un Père éternel » ; cependant, aux mouvements vigoureux du nageur de jadis se substitue la posture de la victime, d'un homme « noyé » dans le « flot », devenu « Fleuve » lui-même par fusion avec l'élément liquide où l'« être » apparut.

L'histoire suit un processus propre au fantastique de Maupassant. Heureux de flotter dans les solitudes aquatiques, le nageur ressent un surcroît de plaisir au frôlement des lianes qui flottent comme lui : ambivalente, la solitude comble le désir d'indépendance, mais elle fait naître aussitôt le désir d'un contact, de liens avec le semblable. Le monstre est appelé, formé par ce désir : lui aussi, il exprime sa convoitise par le toucher, et les parties de son corps qui, en le rendant indéfinissable, le définissent comme « être », sont des choses flottantes et des liens enchevêtrés. L'épouvante qu'il provoque vient de la reconnaissance, dans le miroir déformant qu'il tend, du fond monstrueux du plaisir de flotter, de toucher et du souhait de briser la solitude : c'est le désir abhorré de la fusion avec la mère indéfinie qui est en voie d'accomplissement. La catastrophe — l'accomplissement — est évitée grâce à un tiers qui casse le miroir en réduisant l'image terrible à une lamentable réalité : ce fut un être humain, rendu difforme et solitaire par la folie. L'incident est terminé, mais ses traces sont indélibiles : une identification, une fusion partielle a eu lieu avec l'image horrible, et l'écrivain porte inscrit sur son corps le souvenir de la menace. Notons qu'il est une exception parmi les héros des contes fantastiques de Maupassant : il a pu soumettre son angoisse à sa force créatrice, il a fait de l'inconsistant la matière d'une œuvre. Les autres n'auront que la mauvaise part, la mort, la folie, le souvenir obsédant.

Voici donc, simplifié à l'extrême, le schéma de l'histoire fantastique : désir de sortir de la solitude ; tentative d'y satisfaire par la création d'un « être », reflet monstrueux du sujet et de son désir ; catastrophe réelle ou virtuelle : identification-fusion avec ce mauvais double et son mauvais désir.

Dans l'introduction du *Horla*, nous avons esquissé un schéma narratif commun à tous les contes de Maupassant : désir de sortir d'une clôture matérielle ou morale, tolérable grâce à l'espoir de pouvoir s'en libérer ; tentative de sortie dans un espace ouvert, que l'on croit ouvert ; la clôture se rétablit, définitivement. C'est la fable du piège qu'a désigné Micheline Besnard-Coursodon dans une étude essentielle pour la compréhension de Maupassant, comme le thème central de l'œuvre [21]. On a été mis dans un piège, et lorsqu'on tente de s'en libérer, il se resserre et tue. L'histoire fantastique se calque, elle aussi, sur ce modèle de base. La solitude est une clôture qui sépare du monde extérieur, de l'autre. « Depuis que j'ai senti la solitude de mon être, il me semble que je m'enfonce, chaque jour davantage, dans un souterrain sombre. [...] je ne rencontre jamais personne, je ne trouve jamais une autre main dans ce noir qui m'entoure », dit le supplicié de *Solitude*. « [...] j'ai fermé mon âme. [...] Ne pouvant rien partager avec personne, je me suis désintéressé de tout. » (P. 68-69 et 72.) À l'opposé de cette morne souffrance, le navigateur solitaire de *Sur l'eau* jubile ; le refus du partage, des rapports, lui assure l'indépendance. Mais un autre sens s'infiltre, subrepticement, dans son discours : dans son bateau « petit comme un nid », il a « quelques livres à lire et des vivres pour quinze jours [22] » — n'est-ce pas une clôture, semblable à un état de siège ? L'heureuse solitude du jeune Tourguéniev est, bien sûr, clôture aussi : l'eau est pleine de lianes. De là un désir de sortir, une quête de l'extérieur, de l'autre. Désir ambivalent, comme l'état qui l'a fait naître : on crée un être inconsistant pour pouvoir le renvoyer dans le néant d'où il a surgi. Mais c'est impossible. L'« être » se fera clôture, dangereuse et absolue : il saisit le corps, domine l'esprit, on reste à jamais enfermé en son pouvoir.

Le schéma général recouvre donc le schéma du fantastique. Deux différences assurent, toutefois, la particularité de celui-ci, conséquences toutes les deux de la prédominance de l'autodestruction : la participation plus active du héros à sa morbide histoire, et la présence plus manifeste de l'ambivalence désir/peur qui se rattache à la clôture. Deux exemples, pour illustrer ces différences. Autodestruction par choix délibéré : « Je suis aujourd'hui dans une maison de santé ; mais j'y suis entré volontairement, par prudence, par peur ! » (*Qui sait ?*, p. 164.) Ambivalence désir/peur : « [...] la Société protectrice des animaux [...] veut fonder un *Asile* » où « les pauvres chiens sans maître » — solitaires — trouveraient « l'abri, au lieu du nœud coulant », annonce Maupassant au début d'*Histoire d'un chien* (p. 182) ; *Mademoiselle Cocotte*, version définitive du même récit, commence ainsi : « Nous allions sortir de l'Asile quand j'aperçus [...] un grand homme maigre qui faisait obstinément

le simulacre d'appeler un chien imaginaire »; c'était
« un cocher, [...] devenu fou après avoir noyé son
chien » (p. 38). L'asile, est-ce un abri de la menace
qui émane des autres, ou un lieu où s'éternise celle que
l'on porte en soi-même ? La clôture est-elle bénéfique
ou désastreuse ?

Quelques exemples pour mieux éclairer la dynami-
que, toujours la même, de ces histoires. Pendant
sa chevauchée solitaire vers un château abandonné,
le jeune officier d'*Apparition* se laisse caresser le
visage par des branches d'arbres, et se sent empli
« d'un bonheur tumultueux et comme insaisissable »
(p. 47); dans une chambre pleine d'ombres il distingue sur le lit des empreintes que semble avoir laissées
le corps d'une femme : le désir commence à dessiner
son objet; celui-ci apparaît, « femme ou spectre »
(p. 49-50) qui adresse au jeune homme l'étrange
demande de la peigner; rappel de la tête caressée par
les branches ? le héros est transi de peur; la disparition
incompréhensible de l'« être » le jette dans « une
fièvre de fuite » et il se propulse « dehors » (p. 51);
mais il emporte, adhéré à son corps, le piège : « Mon
dolman était plein de longs cheveux de femme qui
s'étaient enroulés autour des boutons ! » (p. 51); il ne
sera jamais délivré : « une empreinte de peur » lui
demeure, une « terreur constante » (p. 44).

Dans son « logis [...] vide », le célibataire de *Lui ?*
se sent entouré d'une « solitude infinie et navrante »,
et sort pour « trouver un ami » (p. 56); il rentre
après de vaines recherches; mais l'« ami » (p. 57)
l'attend chez lui, sommeillant dans la pénombre;
l'autre veut le toucher et sa main rencontre le coin du
siège; désormais, il se sent persécuté, il se cache,
ferme sa porte à double tour, renforce la clôture réelle
sans pouvoir pour autant se libérer de la clôture de
l'« obsession » (p. 60). Pour en finir, il décide de se
marier, d'avoir toujours à côté de lui le tiers qui
départage; mais sa future femme s'appelle M$^{lle}$ Lajolle, La Geôle.

Et ainsi de suite. Le héros d'*Un fou ?* a peur de la

solitude où s'exerce puissamment la force magnétique de ses mains qui attirent les objets — les rend mouvants, rampants, les transforme en « êtres » —, et sera interné. Le jeune guide de *L'Auberge*, seul dans une maison coupée du monde par la neige, entend l'appel — appelle la voix — de son camarade mort, et devient fou. L'esthète de *La Chevelure* est heureux, son imagination a reconstitué la femme de ses rêves à partir d'une natte trouvée dans un meuble ; mais il sera ravagé par la folie, puisque l'« onde dorée » des cheveux dans laquelle il « noyai[t] » ses yeux (p. 79) représente la clôture mortelle. Heureux aussi, le promeneur solitaire de *La Nuit* qui n'aime que la vie nocturne, jusqu'au moment fatal où le noir s'épaissit en obscurité complète ; son désir satisfait par cette nuit qui prend corps se mue alors en épouvante, et il trouve, à tâtons, le refuge glacial de la noyade. Dans les histoires de peur écrites sur un mode réaliste, dans *Mademoiselle Cocotte* ou dans *L'Enfant*, c'est toujours la solitude, celle d'un cocher sans famille, d'une jeune veuve, qui crée les monstres, une chienne trop fidèle dont le corps en dissolution rejoint son maître dans la rivière où il l'avait noyée ; un embryon conçu par une femme aux sens insatisfaits, être sans forme que sa mère veut anéantir, mais qui, soudé à elle par des liens qu'elle ne sait pas trancher, l'entraîne dans la mort.

L'« être » est informe, inconsistant ; son histoire est solidement structurée. C'est ce contraste qui fonde l'originalité esthétique de ces récits. Maupassant est conteur, dans le sens le plus simple du mot : quelle que soit leur nature, il maîtrise ses matériaux.

### 3. *Formes et natures de l'« être »*.

« Ce qu'on aime avec violence, finit toujours par vous tuer. » (*La Nuit*, p. 140.) Mais Maupassant n'a pas aimé. Ce que son héros solitaire aime, c'est « la grande ombre » : « elle noie la ville, comme une onde insaisissable et impénétrable, elle cache, efface, détruit les couleurs, les formes, étreint les maisons, les êtres, les monuments de son imperceptible toucher. » (P. 139-140.) Nous savons ce que c'est, la grande ombre destructrice : mère archaïque, menace de fusion. Reste à commenter sa nature inconsistante qui la prive du statut d'objet autonome à identité solide.

La présence de cette mère pèse sur toute l'œuvre, mais elle est irreprésentable : elle n'est qu'une ambiance, un entourage, un ensemble de sensations à peine perceptibles ; elle est sans visage — Femme sans tête —, sans contours — « un souterrain sombre dont je ne trouve pas les bords » (*Solitude*, p. 68) —, et, enveloppant son enfant dans l'obscurité de son corps, elle est omniprésente, mais invisible. Dans les récits réalistes, elle se laisse deviner derrière des personnages décrits avec netteté. Ici, elle apparaît telle quelle, ou presque : objet inconsistant. Objet, puisque la fusion n'est qu'une menace, sa menace, celle d'un être séparé du sujet. Mais l'imminence du danger implique une séparation incomplète : ombre, reflet, être créé par le désir, cet objet est spéculaire, insuffisamment différencié du moi. Aussi n'est-ce pas en lui-même, mais du côté du sujet, à travers les émotions que provoque son apparition, qu'il se laisse approcher au plus près.

« Les dangers visibles peuvent émouvoir, troubler, effrayer ! Qu'est cela auprès de la convulsion [de] l'âme […] ? » (*La Peur*, p. 97.) Auprès du « spasme affreux de la pensée et du cœur[23] » ? « Spasme », « consulvion » : la peur ressemble à la jouissance sexuelle. Mais il est rare que ce soit un désir sexuel qui crée l'objet fantastique. Dans *Apparition* où l'appel s'adresse à une femme, celle-ci vient pour offrir aux caresses ses cheveux : rien d'autre que des liens archaïques. Dans *La Chevelure* où l'amour se satisfait grâce à une maîtresse imaginaire, les mains de l'amant parcourent « cette ligne ondulante et divine qui va de la gorge aux pieds » (p. 79) : elle n'a pas de visage. Contrairement aux femmes rêvées dans les contes d'Hoffmann, de Poe, de Gautier, de Villiers, celles de

Maupassant n'ont pas d'identité. La folle, créature réelle, qui épouvante le jeune Tourguéniev, montre tout d'abord son visage : « une figure plissée, énorme, grimaçante » (*La Peur*, p. 99) : ce n'est pas un visage de femme. Autre réalité, l'amoureuse morte de *La Tombe* offre une « figure [...] bleue, bouffie, épouvantable » (p. 107) : avec l'identité anéantie par la mort se dissipe aussi la féminité. Partout, la différence des sexes est vouée à la disparition. De là naîtra l'« être », le « il » neutre qui devient, au plus fort de l'émotion, « Il », « Lui », puissance indéterminée. Rappelons « le Horla » : article masculin, terminaison féminine. « Spasme », « convulsion », sexualité génitale, c'est le faux visage de la peur : son visage rassurant, habituel.

« La peur [...], c'est quelque chose d'effroyable, une sensation atroce, comme une décomposition de l'âme, un spasme affreux [...][24]. » « Spasme » vient corriger « décomposition », mot à plusieurs sens, physique et moral. Au sens physique répond l'objet « hideux » — autre mot souvent employé par Maupassant —, le cadavre de la bien-aimée qui « s'en allait en pourriture » (*La Tombe*, p. 107), la « charogne énorme, gonflée, pelée » de la chienne fidèle (*Mademoiselle Cocotte*, p. 43). Cela peut être aussi un corps vivant : « Oh ! la chair, fumier séduisant et vivant, putréfaction qui marche [...]. » (*Un cas de divorce*, p. 120.) Derrière la peur spasmatique surgit le dégoût qui chasse l'amour : « Et j'ai mêlé l'amour avec les déjections infâmes de ton ventre, avec ce qu'il y a de plus sale, de plus répugnant, de plus hideux dans l'être », a dit Dieu à l'homme. (Première version d'*Un cas de divorce*, passage supprimé dans la version définitive. P. 191.) L'homme désenchanté qui se répète ces paroles trouvera la satisfaction dans une étrange perversion : il adorera les fleurs qui « se reproduisent [...] sans souillure » ; les fleurs avec leur « sueur odorante », « poudrées d'une semence de vie qui, dans chacune, engendre un parfum différent » (p. 120). Odeur tout de même, qu'elle soit parfum ou puanteur. C'est dans l'analité que régresse l'amour rebuté, l'objet dégoûtant est l'objet fécal. Celui-ci est, par définition, sans structures et sans formes permanentes et, solide, liquide ou gazeux, sa matière est sans résistance. Sèches, dures, belles, les momies de Gautier symbolisent l'éternité humaine ; proprette le jour, splendide la nuit, la Fée aux Miettes de Nodier vient de l'éternité mythique. La charogne — l'analité non idéalisée — réfute l'éternité. Cette *Charogne* de Baudelaire que Maupassant admirait, et la description du lent passage de la vie à la mort du corps d'Emma Bovary marquent un changement de goût : après 1857, année des procès des *Fleurs du Mal* et de *Madame Bovary*, la littérature française accueille la décomposition, les immondices ; les naturalistes seront même accusés de s'y complaire. Maupassant ne fait donc que suivre le courant en exploitant ces thèmes, mais il en use à sa manière. À la place laissée vide par le manque d'un objet sexuel solidement structuré, s'introduisent chez lui des choses amorphes dont la nature anale est souvent manifeste. Par là s'explique, en partie, l'influence maléfique des « êtres ». Saleté, infection, contagion : « Vous sentez le phénol dont ces wagons sont empoisonnés. [...] Allez, on sent bien qu'il est là, Lui. Et ce n'est pas la peur d'une maladie qui affole ces gens. Le choléra, c'est autre chose, c'est l'Invisible [...]. » (*La Peur*, p. 102.) Et même lorsqu'ils sont dépouillés de l'enveloppe de la matière, le contact des « êtres » provoque comme une infection — rappelons l'épidémie de peur dans *Le Horla* —, laisse « une empreinte de peur » (*Apparition*, p. 44), une idée fixe d'où naîtra une maladie mortelle. Par là s'explique aussi que l'« être » est le double déformé, dégoûtant, méconnaissable du sujet : dans ce miroir anal le désir se transforme en abjection.

La décomposition a aussi un sens moral chez Maupassant : au contact de l'inconsistant, l'âme se décompose. Mais ce n'est qu'à l'aide de comparaisons corporelles que cet état psychique peut être représenté. « L'âme se fond ; on ne sent plus son cœur ; le corps entier devient mou comme une éponge, on dirait que tout l'intérieur de nous s'écroule. » (*Apparition*, p. 49.) « Quand on est atteint de certaines maladies, tous les ressorts de l'être physique semblent brisés, toutes les énergies anéanties, tous les muscles relâchés, les os devenus mous comme la chair et la chair liquide comme de l'eau. J'éprouve cela dans mon être moral », se plaint le malade tourmenté par le Horla [25]. Cette alchimie de la peur métamorphose la personnalité en une chose dégoûtante. Le registre anal — amollissement, liquéfaction, décomposition — sert à décrire l'horreur innommable qu'est l'effondrement des structures psychiques : nous sommes au bord de l'indistinct, de la folie où se noiera le moi.

Mais l'analité n'est qu'un aspect, mieux, un masque possible à percevoir — d'où son importance — du monstre originel insaisissable. Avant de rejoindre son maître comme « une apparition vengeresse » (*Histoire d'un chien*, p. 184-185), sous la forme d'une énorme charogne, la chienne fidèle était « obèse, avec un ventre gonflé » ; elle donnait « le jour quatre fois l'an à un chapelet de petits animaux » (*Mademoiselle Cocotte*, p. 40 et 41) ; il fallait la noyer à cause de son immonde fécondité. Pour le navigateur exalté de *Sur l'eau*, le marais est « un pays féerique et surnaturel » « où pourrit la vie, où fermente la mort » ; « J'y sens comme la révélation confuse d'un mystère inconnaissable, le souffle originel de la vie primitive qui était peut-être une bulle de gaz sortie d'un marécage à la tombée du jour [26]. » Thèse qui vaut aussi à l'échelle cosmique : « les mondes de notre système [...] ont été formés par la condensation en globes d'anneaux gazeux primitifs » (*L'Homme de Mars*, p. 148). Et ce qui vaut pour le commencement, vaut aussi pour la fin : dans l'institution charitable qu'est l' « Œuvre de la mort volontaire » (*L'Endormeuse*, p. 157), on asphyxie les suicidés étendus sur une chaise longue appelée « L'Endormeuse » avec un « gaz, tout à fait imperceptible, [qui] donne à la mort l'odeur de la fleur qu'on aima » (p. 163). Invisible, inaudible, intouchable, le gaz, phénomène anal, est la forme la plus subtile de celle qui donne la vie ou la mort.

Nous avons insisté sur l'aspect anal de l'objet inconsistant pour mettre en évidence une importante particularité affective du fantastique de Maupassant : le dégoût y voisine avec la peur. Le dégoût qu'inspirent aussi bien les choses sans structures permanentes que la personnalité menacée de déstructuration. Car, rappelons-le, si les choses — l'objet — manquent de solidité, c'est qu'elles ne sont que les reflets d'un sujet défaillant, d'un appareil psychique insuffisamment consolidé.

Un voyageur solitaire, « quelque peu détraqué », parle dans *La Peur* de la disparition du fantastique ; l'auteur, autre voyageur solitaire qui, de l'Algérie en Auvergne, de la Normandie à la Riviera, fuit la folie, reproduit les mêmes propos dans des articles signés de son nom. Pourquoi regrettent-ils « ce quelque chose de vague et de terrifiant », « dont l'appréhension glaçait le cœur, [...] et dont l'atteint était inévitable » (*La Peur*, p. 97)? « Heureux ceux qui ne connaissent pas l'écœurement abominable des mêmes actions toujours répétées [...]. Heureux ceux qui ne s'aperçoivent pas avec un immense dégoût que rien ne change, que rien ne passe et que tout lasse [27]. » L'amour étant absent, reste le dégoût fade de la répétition, la peur harassante du même. Le fantastique, c'est évident, offre des écœurements et des terreurs plus forts qui brisent la monotonie. Mais il est aussi une promesse d'accéder à la source de l'angoisse, puisqu'il permet de transgresser le sensible pour connaître le monstre qui a créé le même, pour se confronter à l'absence de son visage, au manque de ses contours.

## CONNAISSANCE DE L'INCONSISTANT : CONNAISSANCE FANTASTIQUE.

« On n'a vraiment peur que de ce qu'on ne comprend pas. » (*La Peur*, p. 97.) D'emblée, le fantastique se pose chez Maupassant comme un problème de connaissance.

« On », autrefois, du temps de « la vieille race naïve accoutumée à ne pas comprendre, [...] faite aux mystères environnants » (*La Peur*, p. 96), était un sujet collectif, une communauté qui se résignait à l'ignorance tout en s'appuyant sur ses traditions dans les contes fantastiques d'Hoffmann, Mérimée, Gautier. Pour Maupassant, à une époque qui survalorise le progrès, où « on dépeuple l'imagination » par l'acharnement à réduire l'« inexpliqué » à l'« explicable » (*La Peur*, p. 96), « on » est le sujet anonyme de la science, ou, pis, la foule qui ne jure que par la science, et, se conformant à son esprit réducteur, devient cette série infinie de visages ressemblants qu'est le même. Contrairement à « la vieille race », cet « on » moderne menace de supprimer le fantastique. Celui-ci sera, par conséquent, le domaine d'élection d'un « je » qui abomine le même et vit dans la terreur de ne pas pouvoir sauvegarder sa différence : c'est le « je » solitaire, le sujet individuel isolé.

« On n'a vraiment peur que de ce qu'on ne comprend pas », dit « un vieil homme » dont le narrateur ne parvient point « à déterminer la profession. Un original assurément, fort instruit et qui semblait quelque peu détraqué ». (*La Peur*, p. 96.) C'est le prototype du personnage à qui incombe la fonction du sujet connaissant dans l'œuvre fantastique de Maupassant. Ces personnages sont, pour la plupart, sans profession, mais cultivés, grâce aux livres et aux voyages : des hommes riches et désœuvrés ; des rentiers qu'aucune activité n'oblige à s'insérer dans la société ; s'ils y tiennent, ce n'est que par ce fil invisible — fantastique — qu'est l'argent qui, constitué en grands capitaux, a dépouillé sa réalité d'objet. Ils ne s'insèrent pas non plus dans un réseau familial : les riches par choix, les pauvres par nécessité sont célibataires. À cet isolement social s'ajoute une solitude morale qui peut rendre l'esprit « quelque peu détraqué » ou devenir, pour les plus lucides, un

« abominable supplice » : le « *Moi* » est « un lieu secret [...] où personne ne pénètre [...] parce que personne ne comprend personne » (*Solitude*, p. 70).

De là une solitude oppressante du sujet du discours : « Me comprends-tu, au moins, en ce moment, toi ? Non, tu me juges fou ! [...] viens-t'en me dire seulement : *Je t'ai compris !* et tu me rendras heureux, une seconde, peut-être. » (*Solitude*, p. 70.) « Mon Dieu ! Mon Dieu ! Je vais donc écrire enfin ce qui m'est arrivé ! Mais le pourrai-je ? L'oserai-je ? [...] Je vais l'écrire, [mon histoire,] je ne sais pas trop pourquoi ? Pour m'en débarrasser, car je la sens en moi comme un intolérable cauchemar. » (*Qui sait ?*, p. 165.) « Mais comment expliquer ce qui m'arrive ? Comment même faire comprendre que je puisse la raconter ? Je ne sais pas, je ne sais plus, je sais seulement que cela est. » (*La Nuit*, p. 140.) C'est un discours conçu dans le désespoir d'atteindre l'autre, le destinataire qui, même s'il est présent, n'intervient jamais, ne tranche jamais le dilemme du sujet incapable de séparer l'imagination de la réalité.

Mais aussi est-ce un faux dilemme. Les personnages de Maupassant sont obligés de prendre leurs visions pour des réalités, parce que chacun est enfermé dans son optique subjective, dans une clôture intellectuelle : « Quel enfantillage [...] de croire à la réalité puisque nous portons chacun la nôtre dans notre pensée et nos organes[28]. » Toutefois, le conflit de deux subjectivités — deux désirs, deux préjugés, deux mensonges, émanant de deux personnages — peut tenir lieu, dans les contes réalistes, d'épreuve de réalité. Dans l'œuvre fantastique, l'absence de l'adversaire supprime tout espoir d'objectivité. Il en reste un, à vrai dire, mais absurde, peu fiable : le dédoublement du sujet. « Certes, j'avais eu un de ces incompréhensibles ébranlements nerveux, un de ces affolements du cerveau qui enfantent des miracles, à qui le Surnaturel doit sa puissance. » (*Apparition*, p. 51.) « [...] mon *moi* brave raillait mon *moi* poltron, et jamais aussi bien que ce jour-là je ne saisis l'opposition des deux êtres qui sont en nous, l'un voulant, l'autre résistant, et chacun l'emportant tour à tour[29]. » L'un lucide, l'autre visionnaire ; mais de leur adversité aucune preuve ne naîtra, car ils s'effondreront ensemble, entraînant toute connaissance, fausse ou juste, dans leur néant commun.

De tels clivages sont répandus, depuis Hoffmann, dans la littérature fantastique. Chez Maupassant ils seront chargés d'un sens particulier : « J'avais une hallucination — c'était là un fait incontestable. Or, mon esprit était demeuré tout le temps lucide, fonctionnant régulièrement et logiquement. Il n'y avait donc aucun trouble du côté du cerveau. Les yeux seuls s'étaient trompés, avaient trompé ma pensée. Les yeux avaient eu une vision [...]. » (*Lui ?*, p. 58.) Le cerveau du sujet lucide d'un côté, les yeux du sujet visionnaire de l'autre : les sens sont trompeurs. Mais les banalités de Maupassant sont tragiques.

« [...] nos organes sont les seuls intermédiaires entre le monde extérieur et nous. C'est-à-dire que l'être intérieur, qui constitue le *moi*, se trouve en contact, au moyen de quelques filets nerveux, avec l'être extérieur qui constitue le monde. Or, outre que cet être extérieur nous échappe par ses proportions, sa durée [...], nos organes ne nous fournissent encore sur la parcelle de lui que nous pouvons connaître que des renseignements aussi incertains que peu nombreux. » Puis, après une démonstration de l'imperfection des cinq sens — seulement cinq —, la conclusion : « Donc, nous nous trompons en jugeant le Connu, et nous sommes entourés d'Inconnu inexploré[30]. » Tout cela est aussi monnaie courante à l'époque : coupure entre le sujet et l'objet, insuffisance de la connaissance empirique. Mais dans *Le Horla,* les réflexions sur ce thème banal deviennent une inépuisable source d'angoisse : pour lutter contre le persécuteur surnaturel, « il faut le connaître, le toucher, le voir ! [...] Et mon œil à moi ne peut distinguer le nouveau venu qui m'opprime[31]. » Lieu commun, l'erreur des sens est chez Maupassant un lieu terrible où surgit l'angoisse épistémologique.

À l'origine de cette angoisse se trouve, on s'y attendait, la hantise première : « L'Intelligence a cinq barrières entr'ouvertes et cadenassées qu'on appelle les cinq sens [32]. » Dans le domaine de la connaissance aussi se reproduit donc la clôture fatale, le piège qui ne s'entr'ouvre que pour se refermer sur la proie. C'est en tant qu'expression de ce fantasme que l'insuffisance de la connaissance empirique et la coupure entre la pensée et l'expérience sensorielle cessent d'être des banalités pour devenir les composantes du tragique de Maupassant.

Cette conception de la connaissance détermine, bien entendu, toute l'œuvre. Pourtant, c'est dans le domaine du fantastique qu'elle se constitue en thème dominant : le sujet solitaire est entièrement renvoyé à lui-même, à sa pensée et à ses sens. C'est aussi lui qui ressent le plus douloureusement la clôture intellectuelle que, « fort instruit », il cherche à briser au moyen de lectures, de voyages d'étude, de réflexions sur l'infini. Et même ceux qui manquent d'instruction sont poussés par le même désir : le cocher François adore une chienne qui donne le jour à « de petits animaux appartenant à toutes les variétés de la race canine » (*Mademoiselle Cocotte*, p. 41), contenant ainsi en elle l'infini. Car désir érotique et désir intellectuel ne font qu'un : plonger le regard dans un « œil [...] plus vaste que l'espace » (*La Tombe*, p. 106), comprendre la vie, « la vie matérielle du monde [...] dont le secret est notre immense tourment [33] ». L'objet ultime de la connaissance est la mère universelle.

Dans le fantastique, elle apparaît telle qu'en elle-même : inconnaissable. Ou presque : inconsistante. C'est par rapport aux sens qu'elle se définit parce qu'elle fut perçue, dans les temps immémoriaux, comme un ensemble de sensations corporelles. D'où l'importance des sens chez Maupassant. D'où aussi leur insuffisance, conséquence du caractère insaisissable de ces sensations originelles. C'est pourquoi l'« être » se manifeste aux seuls sens et par des signes à peine perceptibles : « frôlement derrière moi », « mouvement presque indistinct » (*Apparition*, p. 49), vision tapie « dans tous les coins obscurs, dans toutes les ombres » (*Lui ?*, p. 60). Ou par des signes qui ne permettent pas de l'identifier, qui mettent les sens en échec : « Cela ressemblait à une femme ou à une guenon » (*La Peur*, p. 99) ; au milieu d'une « maison vaste et tortueuse comme un labyrinthe » « était un tout petit homme, tout petit et très gros, gros comme un phénomène, un hideux phénomène » (*Qui sait ?*, p. 175) — la mère ou l'embryon, « êtres » en rapport fusionnel, interchangeables, également méconnaissables.

Mais aussi comment les sens pourraient-ils percevoir ce qui est identique au sujet, son mauvais double ? « Eh bien ! j'ai peur de moi ! j'ai peur de la peur [...]. » « J'ai peur surtout du trouble horrible de ma pensée, de ma raison qui m'échappe brouillée, dispersée par une mystérieuse et invisible angoisse. » (*Lui ?*, p. 54-55.) L'angoisse n'est « visible » d'aucune manière, seule sa source extérieure peut l'être. L'inadvertance de l'écrivain accuse la localisation intérieure du monstre.

L'« être » est donc à la fois dedans et dehors, en deçà et au-delà des sens, c'est pourquoi il reste inconnaissable. Et s'il se définit par rapport aux sens, en tant qu'objet qu'ils ne peuvent pas saisir, c'est que les sens sont aussi les frontières du corps ; or, comment connaître ce qui est à la fois en moi et en dehors de moi, ce que je ne peux pas situer par rapport à mon corps ?

Le problème classique de la connaissance que se pose le XIXe siècle, la distance insurmontable entre le sujet et l'objet, se trouve, en fin de compte, inversé chez Maupassant : la coupure, ici, n'est qu'apparence ; la réalité, psychologique — psychotique — est la promiscuité, l'absence des frontières, la fusion du sujet et de l'objet. C'est pourquoi ni les sens ni la

pensée ne valent rien. Démontrer leur insuffisance ne
vaut rien non plus. Cela sert, tout au plus, à donner à
l'angoisse épistémologique un contenu rationalisé,
banal, à occulter son contenu profond qui est le
danger de l'effondrement commun de « l'être intérieur » et de « l'être extérieur » dans l'indistinct. À la
fin de *La Nuit,* l'espace devient insondable, le temps
s'arrête, le héros se noie : éclipse du monde, éclipse
du moi. Par là s'achève l'angoisse épistémologique.
D'individu isolé qu'il déplorait d'être, le sujet est
devenu partie du même, il a transgressé la clôture
intellectuelle pour se noyer dans la grande ombre où il
n'y a plus de sujet, plus d'objet, plus de connaissance.
   Le cercle est fermé. À l'épistémè indéterminée
correspond l'« être » inconsistant ; au sujet connaissant impuissant, le sujet d'un désir qui ne peut se fixer
sur aucun objet. Le fantastique de Maupassant
démontre l'impossibilité de connaître et laisse entrevoir l'impossibilité d'aimer. Mais il les montre, ces
impossibilités, il accuse ces échecs. Le fantastique,
selon Jean Bellemin-Noël, nous fait accepter « ce qui
est le plus véridique, l'inouï et l'inaudible [34] ». Ce qui
dépasse la norme — une expérience psychique nor-
male — et les sens : « l'inconnu qui est [...] derrière la
vie apparente » (*La Peur,* p. 98). C'est cela, « le plus
véridique », cet inconnu : avec Tourguéniev, dit
Maupassant — avec Maupassant, dirions-nous —, on
croit sentir « un fil imperceptible qui nous guide
d'une façon mystérieuse à travers la vie, comme à
travers un nébuleux dont le sens nous échappe sans
cesse » (*La Peur,* p. 98). On, nous, la vie et son
sens, tout est inconsistant.

                                   Antonia FONYI.

# NOTES

1. Conte recueilli par les frères Grimm sous le titre *Märchen von einem, der auszog, das Fürchten zu lernen*.

2. *Sur l'eau*, Paris, C. Marpon et E. Flammarion, s. d., p. 94 et 96. Un autre texte intitulé également *Sur l'eau* a paru dans le recueil *Le Horla et autres contes d'angoisse* (GF Flammarion 409).

3. Lettre à Gisèle d'Estoç [janvier 1881]. *Correspondance*, édition établie par Jacques Suffel. Évreux, Le Cercle du Bibliophile, 1973. T. II, p. 6.

4. A l'exception, bien entendu, des contes du même type, publiés dans d'autres volumes de la présente collection. Ainsi, par exemple, *La Peur*, parue dans les *Contes de la Bécasse* (GF 272) ; *Fou ?*, dans *Mademoiselle Fifi* (GF 277) ; *Le Masque*, dans *La Maison Tellier* (GF 356).

5. *Sur l'eau*, p. 19-20.

6. *Sur l'eau*, p. 180-181.

7. *Sur l'eau*, p. 150.

8. *Sur l'eau*, p. 156-158.

9. Lettre à sa mère [janvier 1881 ?]. *Correspondance*, t. II, p. 19.

10. Lettre à sa mère, 24 septembre 1873. *Correspondance*, t. I, p. 33.

11. Lettre à sa mère, 3 septembre 1875. *Correspondance*, t. I, p. 83.

12. Lettre à sa mère, 24 septembre 1873. *Correspondance*, t. I, p. 33.

13. Lettre de M^me de Maupassant à Gustave Flaubert, 29 janvier 1872. *Correspondance* de Maupassant, t. I, p. 23.

14. Lettre à sa mère, 3 septembre 1875. *Correspondance*, t. I, p. 83.

15. « Par-delà », *Gil Blas*, 10 juin 1884.

16. Alberto Savinio : *Maupassant et l'« Autre »*, traduction française par Michel Arnaud. Paris, Gallimard, 1977.

17. Louis Forestier : Introduction des *Contes et Nouvelles* de Maupassant. Paris, Gallimard, Bibliothèque de la Pléiade, 1974. T. I, p. LX-LXI.

18. Marie-Claire Bancquart : Introduction du *Horla et autres Contes cruels et fantastiques*. Paris, Garnier Frères, 1976, p. XXIV, XXIII, XXVI.

19. Tzvetan Todorov : *Introduction à la littérature fantastique*. Paris, Éditions du Seuil, 1970.

20. « Le Fantastique », *Le Gaulois*, 7 octobre 1883.

21. Micheline Besnard-Coursodon : *Le Piège. Étude thématique et structurale de l'œuvre de Maupassant*. Paris, Nizet, 1973.

22. *Sur l'eau*, p. 20.

23. *La Peur*, dans les *Contes de la Bécasse* (GF 272), p. 91.

24. *Ibid*.

25. *Le Horla*, dans *Le Horla et autres contes d'angoisse* (GF 409), p. 70.

26. *Sur l'eau*, p. 162, 160, 163.

27. « Par-delà », *Gil Blas*, 10 juin 1884.

28. « Le Roman », dans *Pierre et Jean. Œuvres complètes*, éd. Conard, T. XIX, p. 22.

29. *Sur l'eau*, dans *Le Horla et autres contes d'angoisse* (GF 409), p. 141.

30. *Lettre d'un fou*, dans *Le Horla et autres contes d'angoisse*, p. 35-36 et 38.

31. *Le Horla*, dans *Le Horla et autres contes d'angoisse*, p. 75.

32. *La Vie errante. Œuvres complètes*, éd. Conard., T. XXVI, p. 22-23.

33. *Sur l'eau*, p. 7.

34. Jean Bellemin-Noël : « Notes sur le fantastique (textes de Théophile Gautier) », *Littérature*, décembre 1972, p. 23.

# LE PÈRE JUDAS[1]

Tout ce pays était surprenant, marqué d'un caractère de grandeur presque religieuse et de désolation sinistre.

Au milieu d'un vaste cercle de collines nues, où ne poussaient que des ajoncs, et, de place en place, un chêne bizarre tordu par le vent, s'étendait un vaste étang sauvage, d'une eau noire et dormante, où frissonnaient des milliers de roseaux.

Une seule maison sur les bords de ce lac sombre, une petite maison basse habitée par un vieux batelier, le père Joseph, qui vivait du produit de sa pêche. Chaque semaine il portait son poisson dans les villages voisins, et revenait avec les simples provisions qu'il lui fallait pour vivre.

Je voulus voir ce solitaire, qui m'offrit d'aller lever ses nasses. Et j'acceptai.

Sa barque était vieille, vermoulue et grossière. Et lui, osseux et maigre, ramait d'un mouvement monotone et doux qui berçait l'esprit, enveloppé déjà dans la tristesse de l'horizon.

Je me croyais transporté aux premiers temps du monde, au milieu de ce paysage antique, dans ce bateau primitif que gouvernait cet homme d'un autre âge.

Il leva ses filets, et il jetait les poissons à ses pieds avec des gestes de pêcheur biblique. Puis il me voulut promener jusqu'au bout du marécage, et soudain

2

j'aperçus, sur l'autre bord, une ruine, une chaumière éventrée dont le mur portait une croix, une croix énorme et rouge, qu'on aurait dit tracée avec du sang, sous les dernières lueurs du soleil couchant.

Je demandai :

— Qu'est-ce que cela ?

L'homme aussitôt se signa, puis répondit :

— C'est là qu'est mort Judas.

Je ne fus pas surpris, comme si j'avais pu m'attendre à cette étrange réponse.

J'insistai cependant :

— Judas ? quel Judas ?

Il ajouta :

— Le Juif errant, monsieur.

Je le priai de me dire cette légende. Mais c'était mieux qu'une légende ; c'était une histoire, et presque récente, car le père Joseph avait connu l'homme.

Jadis cette hutte était occupée par une grande femme, sorte de mendiante, vivant de la charité publique. De qui tenait-elle cette cabane, le père Joseph ne se le rappelait plus. Or un soir, un vieillard à barbe blanche, un vieillard qui paraissait deux fois centenaire et qui se traînait à peine, demanda, en passant, l'aumône à cette misérable.

Elle répondit :

— Asseyez-vous, le père ; tout ce qui est ici est à tout le monde, car ça vient de tout le monde.

Il s'assit sur une pierre devant la porte. Il partagea le pain de la femme, et sa couche de feuilles, et sa maison.

Il ne la quitta plus. Il avait fini ses voyages.

Le père Joseph ajoutait :

— C'est notre Dame la Vierge qui a permis ça, monsieur, vu qu'une femme avait ouvert sa porte à Judas.

Car ce vieux vagabond était le Juif errant.

On ne le sut pas tout de suite, dans le pays, mais on s'en douta bientôt, parce qu'il marchait toujours, tant il en avait pris l'habitude. Une autre raison avait fait naître les soupçons. Cette femme qui gardait chez elle cet inconnu passait pour juive, car on ne l'avait jamais vue à l'église.

A dix lieues aux environs, on ne l'appelait que « la Juive ». Quand les petits enfants du pays la voyaient arriver pour mendier, ils criaient :

— Maman, maman, c'est la Juive !

Le vieux et elle se mirent à errer par les pays voisins, la main tendue à toutes les portes, balbutiant des supplications dans le dos de tous les passants. On les vit à toutes les heures du jour, par les sentiers perdus, le long des villages, ou bien mangeant un morceau de pain à l'ombre d'un arbre solitaire, dans la grande chaleur de midi.

Et on commença dans la contrée à nommer le mendiant « le père Judas ».

Or, un jour il rapporta dans sa besace deux petits cochons vivants qu'on lui avait donnés dans une ferme, parce qu'il avait guéri le fermier d'un mal.

Et bientôt il cessa de mendier, tout occupé à guider ses porcs pour les nourrir, les promenant le long de l'étang, sous les chênes isolés dans les petits vallons voisins. La femme, au contraire, errait sans cesse en quête d'aumônes, mais elle le rejoignait tous les soirs.

Lui non plus n'allait jamais à l'église, et on ne l'avait jamais vu faire le signe de la croix devant les calvaires. Tout cela faisait beaucoup jaser.

Sa compagne, une nuit, fut prise de fièvre et se mit à trembler comme une toile qu'agite le vent. Il alla jusqu'au bourg chercher des médicaments, puis il s'enferma près d'elle, et, pendant six jours, on ne le vit plus.

Mais le curé, ayant entendu dire que la « Juive » allait trépasser, s'en vint apporter les consolations de sa religion à la mourante, et lui offrit les derniers sacrements. Etait-elle juive ? Il ne le savait pas, il voulait, en tout cas, essayer de sauver son âme.

A peine eut-il heurté la porte, que le père Judas parut sur le seuil, haletant, les yeux allumés, toute sa grande barbe agitée, comme de l'eau qui ruisselle, et il

cria dans une langue inconnue, des mots de blasphème
en tendant ses bras maigres pour empêcher le prêtre
d'entrer.

Le curé voulut parler, offrir sa bourse et ses soins ;
mais le vieux l'injuriait toujours, faisant avec les mains
le geste de lui jeter des pierres. Et le prêtre se retira,
poursuivi par les malédictions du mendiant.

Le lendemain la compagne du père Judas mourut.
Il l'enterra lui-même devant sa porte. C'étaient des
gens de si peu qu'on ne s'en occupa pas.

Et on revit l'homme conduisant ses cochons le long
de l'étang et sur le flanc des côtes. Souvent aussi il
recommençait à mendier pour se nourrir. Mais on ne
lui donnait presque plus rien, tant on faisait courir
d'histoires sur lui. Et chacun savait aussi de quelle
manière il avait reçu le curé.

Il disparut. C'était pendant la semaine sainte. On ne
s'en inquiéta guère.

Mais, le lundi de Pâques, des garçons et des filles
qui étaient venus en promenade jusqu'à l'étang,
entendirent un grand bruit dans la hutte. La porte
était fermée ; les garçons l'enfoncèrent et les deux
cochons s'enfuirent en sautant comme des boucs. On
ne les a jamais revus.

Alors, tout ce monde étant entré, on aperçut par
terre quelques vieux linges, le chapeau du mendiant,
quelques os, du sang séché et des restes de chair dans
les creux d'une tête de mort.

Ses porcs l'avaient dévoré.

Et le père Joseph ajouta :

— C'était arrivé, monsieur, le vendredi saint, à
trois heures après midi.

Je demandai :

— Comment le savez-vous ?

Il répondit :

— C'est pas doutable.

Je n'essayai point de lui faire comprendre comme il
était naturel que les animaux affamés eussent mangé
leur maître mort subitement dans sa hutte.

Quant à la croix sur le mur, elle était apparue un matin, sans qu'on sût quelle main l'avait tracée de cette couleur étrange.

Depuis lors, on ne douta plus que le Juif errant ne fût mort en ce lieu.

Je le crus moi-même pendant une heure.

# MADEMOISELLE COCOTTE [1]

Nous allions sortir de l'Asile quand j'aperçus dans un coin de la cour un grand homme maigre qui faisait obstinément le simulacre d'appeler un chien imaginaire. Il criait, d'une voix douce, d'une voix tendre : « Cocotte, ma petite Cocotte, viens ici, Cocotte, viens ici, ma belle », en tapant sur sa cuisse comme on fait pour attirer les bêtes. Je demandai au médecin :

— Qu'est-ce que celui-là ? Il me répondit :

— Oh ! celui-là n'est pas intéressant. C'est un cocher, nommé François, devenu fou après avoir noyé son chien.

J'insistai : — Dites-moi donc son histoire. Les choses les plus simples, les plus humbles, sont parfois celles qui nous mordent le plus au cœur.

Et voici l'aventure de cet homme qu'on avait sue tout entière par un palefrenier, son camarade.

Dans la banlieue de Paris vivait une famille de bourgeois riches. Ils habitaient une villa [2] au milieu d'un parc, au bord de la Seine. Le cocher était ce François, gars de campagne, un peu lourdaud, bon cœur, niais, facile à duper.

Comme il rentrait un soir chez ses maîtres, un chien se mit à le suivre. Il n'y prit point garde d'abord ; mais l'obstination de la bête à marcher sur ses talons le fit bientôt se retourner. Il regarda s'il connaissait ce chien. — Non, il ne l'avait jamais vu.

C'était une chienne d'une maigreur affreuse avec de

grandes mamelles pendantes. Elle trottinait derrière
l'homme d'un air lamentable et affamé, la queue entre
les pattes, les oreilles collées contre la tête, et s'arrêtait
quand il s'arrêtait, repartant[3] quand[4] il repartait.

Il voulait chasser[5] ce squelette de bête et cria :
« Va-t'en. Veux-tu bien te sauver ! — Hou ! hou ! »
Elle s'éloigna de quelques pas[6] et se planta sur son
derrière, attendant ; puis, dès que le cocher se remit
en marche, elle repartit derrière lui.

Il fit semblant de ramasser des pierres. L'animal
s'enfuit un peu plus loin avec un grand ballottement
de ses mamelles flasques ; mais il revint aussitôt que
l'homme eut tourné le dos.

Alors le cocher François, pris de pitié[7], l'appela. La
chienne s'approcha timidement, l'échine pliée en
cercle, et toutes les côtes soulevant la peau. L'homme
caressa ces os saillants, et, tout ému par cette misère
de bête : « Allons, viens ! » dit-il. Aussitôt elle remua
la queue, se sentant accueillie, adoptée, et, au lieu de
rester dans les mollets de son nouveau maître, elle se
mit à courir devant lui.

Il l'installa sur la paille dans son écurie ; puis il
courut à la cuisine chercher du pain. Quand elle eut
mangé tout son soûl, elle s'endormit, couchée en
rond.

Le lendemain, les maîtres, avertis par leur cocher,
permirent qu'il gardât l'animal. C'était une bonne
bête, caressante et fidèle, intelligente et douce.

Mais, bientôt, on lui reconnut un défaut terrible.
Elle était enflammée d'amour d'un bout à l'autre de
l'année. Elle eut fait, en quelque temps, la connaissance de tous les chiens de la contrée qui se mirent à
rôder autour d'elle jour et nuit. Elle leur partageait ses
faveurs avec une indifférence de fille, semblait au
mieux avec tous, traînait[8] derrière elle une vraie
meute composée des modèles les plus différents de la
race aboyante, les uns gros comme le poing, les autres
grands comme des ânes. Elle les promenait par les
routes en des courses interminables, et quand elle

s'arrêtait pour se reposer sur l'herbe ils faisaient cercle autour d'elle, et la contemplaient la langue tirée.

Les gens du pays la considéraient comme un phénomène ; jamais on n'avait vu pareille chose. Le vétérinaire n'y comprenait rien.

Quand elle était rentrée, le soir, en son écurie, la foule des chiens faisait le siège de la propriété. Ils se faufilaient par toutes les issues de la haie vive qui clôturait le parc, dévastaient les plates-bandes, arrachaient les fleurs, creusaient des trous dans les corbeilles, exaspérant le jardinier. Et ils hurlaient des nuits entières autour du bâtiment où logeait leur amie, sans que rien les [9] décidât à s'en aller.

Dans le jour, ils pénétraient jusque dans la maison. C'était une invasion, une plaie, un désastre. Les maîtres rencontraient à tout moment dans l'escalier et jusque dans les chambres des petits roquets jaunes à queue empanachée, des [10] chiens de chasse, des bouledogues, des loups-loups rôdeurs à poil sale, vagabonds sans feu ni lieu, des terre-neuve énormes qui faisaient fuir les enfants.

On vit alors dans le pays des chiens inconnus à dix lieues à la ronde, venus on ne sait d'où, vivant on ne sait comment, et qui disparaissaient ensuite.

Cependant François adorait Cocotte. Il l'avait nommée Cocotte, sans malice, bien qu'elle méritât son nom ; et il répétait [11] sans cesse : « Cette bête-là, c'est une personne. Il ne lui manque que la parole. »

Il lui avait fait confectionner un collier magnifique en cuir rouge qui portait ces mots gravés sur une plaque de cuivre : « Mademoiselle Cocotte, au cocher François. »

Elle était devenue énorme. Autant elle avait été maigre, autant elle était obèse, avec un ventre gonflé sous lequel pendillaient toujours ses longues mamelles ballottantes. Elle avait engraissé tout d'un coup et elle marchait maintenant avec peine, les pattes écartées à la façon des gens trop gros, la gueule ouverte pour souffler, exténuée aussitôt qu'elle avait essayé de courir.

Elle se montrait d'ailleurs d'une fécondité phénoménale, toujours pleine presque aussitôt que délivrée,
donnant le jour quatre fois l'an à un chapelet de petits
animaux appartenant à toutes les variétés de la race
canine. François, après avoir choisi celui qu'il lui
laissait pour « passer son lait », ramassait les autres
dans son tablier d'écurie et allait, sans apitoiement, les
jeter à la rivière.

Mais bientôt la cuisinière joignit ses plaintes à celles
du jardinier. Elle trouvait des chiens jusque sous son
fourneau, dans le buffet, dans la soupente au charbon,
et ils volaient tout ce qu'ils rencontraient.

Le maître, impatienté, ordonna à François de se
débarrasser de Cocotte. L'homme désolé chercha à la
placer. Personne n'en voulut. Alors il se résolut à la
perdre, et il la confia à un voiturier qui devait
l'abandonner dans la campagne de l'autre côté de
Paris, auprès de Joinville-le-Pont.

Le soir même, Cocotte était revenue.

Il [12] fallait prendre un grand parti. On la livra,
moyennant cinq francs, à un chef de train allant au
Havre. Il devait la lâcher à l'arrivée.

Au bout de trois jours, elle rentrait dans son écurie,
harassée, efflanquée, écorchée, n'en pouvant plus.

Le maître, apitoyé, n'insista pas.

Mais les chiens revinrent bientôt plus nombreux et
plus acharnés que jamais. Et comme on donnait, un
soir, un grand dîner, une poularde truffée fut emportée par un dogue, au nez de la cuisinière qui n'osa pas
la lui disputer.

Le maître, cette fois, se fâcha tout à fait, et, ayant
appelé François, il lui dit avec colère : « Si vous ne me
flanquez pas cette bête à l'eau avant demain matin, je
vous fiche à la porte, entendez-vous ? »

L'homme fut atterré, et il remonta dans sa chambre
pour faire sa malle, préférant quitter sa place [13]. Puis il
réfléchit qu'il ne pourrait entrer nulle part tant qu'il
traînerait derrière lui cette bête incommode ; il songea
qu'il était dans une bonne maison, bien payé, bien

nourri ; il se dit que vraiment un chien ne valait pas
ça ; il s'excita au nom de ses propres intérêts ; et [14] il
finit par prendre résolument le parti de se débarrasser
de Cocotte au point du jour.

Il dormit mal, cependant. Dès l'aube, il fut debout
et, s'emparant d'une forte corde, il alla chercher la
chienne. Elle se leva lentement, se secoua, étira ses
membres et vint fêter son maître.

Alors le courage lui manqua, et il se mit à l'embras-
ser avec tendresse, flattant ses longues oreilles, la
baisant sur le museau, lui prodiguant tous les noms
tendres qu'il savait.

Mais une horloge voisine sonna six heures. Il ne
fallait plus hésiter. Il ouvrit la porte : « Viens », dit-il.
La bête remua la queue, comprenant qu'on allait
sortir.

Ils gagnèrent la berge, et il choisit une place où l'eau
semblait profonde. Alors il noua un bout de la corde
au beau collier de cuir, et ramassant une grosse pierre,
il l'attacha de l'autre [15] bout. Puis il saisit Cocotte dans
ses bras et la baisa furieusement comme une personne
qu'on va quitter. Il la tenait serrée sur sa poitrine, la
berçait, l'appelait « ma belle Cocotte, ma petite
Cocotte », et elle se laissait faire en grognant de
plaisir.

Dix fois il la voulut jeter, et toujours le cœur lui
manquait.

Mais brusquement il se décida, et de toute sa force il
la lança le plus loin possible. Elle essaya d'abord de
nager, comme elle faisait lorsqu'on la baignait, mais sa
tête, entraînée par la pierre, plongeait coup sur coup ;
et elle jetait à son maître des regards éperdus, des
regards humains, en se débattant comme une personne qui se noie. Puis tout l'avant du corps s'enfonça [16], tandis que les pattes de derrière s'agitaient
follement hors de l'eau ; puis elles disparurent aussi.

Alors, pendant cinq minutes, des bulles d'air vin-
rent crever à la surface comme si le fleuve se fût mis à
bouillonner ; et François, hagard, affolé, le cœur
palpitant, croyait voir Cocotte se tordant dans la vase ;

et il se disait, dans sa simplicité de paysan : « Qu'est-ce qu'elle pense de moi, à c't' heure, c'te bête ? »

Il faillit devenir idiot ; il fut malade pendant un mois ; et, chaque nuit, il rêvait de sa chienne ; il la sentait qui léchait ses mains ; il l'entendait aboyer. Il fallut appeler un médecin. Enfin il alla mieux ; et ses maîtres, vers la fin de juin, l'emmenèrent dans leur propriété de Biessard [17], près de Rouen.

Là encore il était au bord de la Seine. Il [18] se mit à prendre des bains. Il descendait chaque matin avec le palefrenier, et ils traversaient le fleuve à la nage.

Or, un jour, comme ils s'amusaient à batifoler dans l'eau, François cria soudain à son camarade :

— Regarde celle-là qui s'amène. Je vas t'en faire goûter une côtelette.

C'était une charogne énorme, gonflée, pelée, qui s'en venait, les pattes en l'air en suivant le courant.

François s'en approcha en faisant des brasses ; et, continuant ses plaisanteries :

— Cristi ! elle n'est pas [19] fraîche. Quelle prise ! mon vieux. Elle n'est pas [20] maigre non plus.

Et il tournait autour, se maintenant à distance de l'énorme bête en putréfaction.

Puis, soudain, il se tut et il la regarda avec une attention singulière ; puis il s'approcha encore comme pour la toucher, cette fois. Il examinait fixement le collier ; puis il avança le bras, saisit le cou, fit pivoter la charogne, l'attira tout près de lui, et lut sur le cuivre verdi qui restait adhérent au cuir décoloré : « Mademoiselle Cocotte, au cocher François. »

La chienne morte avait retrouvé son maître à soixante lieues de leur maison !

Il poussa un cri épouvantable et il se mit à nager de toute sa force vers la berge, en continuant à hurler ; et, dès qu'il eut atteint la terre, il se sauva éperdu, tout [21] nu, par la campagne. Il était fou !

# APPARITION [1]

On parlait de séquestration à propos d'un procès
récent [2]. C'était à la fin d'une soirée intime, rue de
Grenelle, dans un ancien hôtel, et chacun avait son
histoire, une histoire qu'il affirmait vraie.

Alors le vieux marquis de la Tour-Samuel, âgé de
quatre-vingt-deux ans, se leva et vint s'appuyer à la
cheminée. Il dit de sa voix un peu tremblante :

— Moi aussi, je sais une chose étrange, tellement
étrange, qu'elle [3] a été l'obsession de ma vie. Voici
maintenant cinquante-six ans que cette aventure m'est
arrivée, et il ne se passe pas un mois sans que je la
revoie en rêve. Il m'est demeuré de ce jour-là une
marque, une empreinte de peur, me comprenez-vous ?
Oui, j'ai subi l'horrible épouvante, pendant dix
minutes, d'une telle façon que depuis cette heure une
sorte de terreur constante m'est restée dans l'âme. Les
bruits inattendus me font tressaillir jusqu'au cœur ; les
objets que je distingue mal dans l'ombre du soir me
donnent une envie folle de me sauver. J'ai peur la
nuit, enfin.

« Oh ! je n'aurais pas avoué cela avant d'être arrivé à
l'âge où je suis. Maintenant je peux tout dire. Il est
permis de n'être pas brave devant les dangers imaginaires, quand on a quatre-vingt-deux ans. Devant les
dangers véritables, je n'ai jamais reculé, Mesdames.

« Cette histoire m'a tellement bouleversé l'esprit, a
jeté en moi un trouble si profond, si mystérieux, si

épouvantable, que je ne l'ai même jamais racontée. Je l'ai gardée dans le fond intime de moi, dans ce fond où l'on cache les secrets pénibles, les secrets honteux, toutes les inavouables faiblesses que nous avons dans notre existence.

« Je vais vous dire l'aventure telle quelle, sans chercher à l'expliquer. Il est bien certain qu'elle est explicable, à moins que je n'aie eu mon heure de folie. Mais non, je n'ai pas été fou, et je vous en donnerai la preuve. Imaginez ce que vous voudrez. Voici les faits tout simples.

« C'était en 1827, au mois de juillet. Je me trouvais à Rouen en garnison.

« Un jour, comme je me promenais sur le quai, je rencontrai un homme que je crus reconnaître sans me rappeler au juste qui c'était. Je fis, par instinct, un mouvement pour m'arrêter. L'étranger aperçut ce geste, me regarda et tomba dans mes bras.

« C'était un ami de jeunesse que j'avais beaucoup aimé. Depuis cinq ans que je ne l'avais vu, il semblait vieilli d'un demi-siècle. Ses cheveux étaient tout blancs ; et il marchait courbé, comme épuisé. Il comprit ma surprise et me conta sa vie. Un malheur terrible l'avait brisé.

« Devenu follement amoureux d'une jeune fille, il l'avait épousée dans une sorte d'extase de bonheur[4]. Après un an d'une félicité surhumaine et d'une passion inapaisée, elle était morte subitement d'une maladie de cœur, tuée par l'amour lui-même, sans doute.

« Il[5] avait quitté son château le jour même de[6] l'enterrement, et il était venu habiter son hôtel de Rouen. Il vivait là, solitaire et désespéré, rongé par la douleur, si misérable qu'il ne pensait qu'au suicide.

« — Puisque je te retrouve ainsi, me dit-il, je te demanderai de me rendre un grand service, c'est d'aller chercher chez[7] moi dans le secrétaire de ma chambre, de notre chambre, quelques papiers dont j'ai un urgent besoin. Je ne puis charger de ce soin un subalterne ou un homme d'affaires, car il me faut une impénétrable discrétion et un silence absolu. Quant à moi, pour rien au monde je ne rentrerai dans cette maison.

« Je te donnerai la clef de cette chambre que j'ai fermée moi-même en partant, et la clef de mon secrétaire. Tu remettras en outre un mot de moi à mon jardinier qui t'ouvrira le château.

« Mais viens déjeuner avec moi demain, et nous causerons de cela.

« Je lui promis de lui rendre ce léger service. Ce n'était d'ailleurs qu'une promenade pour moi, son domaine se trouvant situé[8] à cinq lieues de Rouen environ. J'en avais pour une heure à cheval.

« À dix heures, le lendemain, j'étais chez lui. Nous déjeunâmes en tête à tête ; mais il ne prononça pas vingt paroles. Il me pria de l'excuser ; la pensée de la visite que j'allais faire dans cette chambre, où gisait son bonheur, le bouleversait, me disait-il. Il me parut en effet singulièrement agité, préoccupé, comme si un mystérieux combat se fût livré dans son âme.

« Enfin il m'expliqua exactement ce que je devais faire. C'était bien[9] simple. Il me fallait prendre deux paquets de lettres et une liasse de papiers enfermés dans le premier tiroir de droite du meuble dont j'avais la clef. Il ajouta :

« — Je n'ai pas besoin de te prier de n'y point jeter les yeux.

« Je fus[10] presque blessé de cette parole, et je le lui dis un peu vivement. Il balbutia :

« — Pardonne-moi, je souffre trop.

« Et il se mit à pleurer.

« Je le quittai vers une heure pour accomplir ma mission.

« Il faisait un temps radieux, et j'allais au grand trot à travers les prairies, écoutant des chants d'alouettes et le bruit rythmé de mon sabre sur ma botte.

« Puis j'entrai dans la forêt et je mis au pas mon cheval. Des branches d'arbres me caressaient le visage ; et parfois j'attrapais une feuille avec mes dents et je la mâchais avidement, dans une de ces joies de vivre qui vous emplissent, on ne sait pourquoi, d'un bonheur tumultueux et comme insaisissable, d'une sorte d'ivresse de force.

« En approchant du château, je cherchais dans [11] ma poche la lettre que j'avais pour le jardinier, et je m'aperçus avec étonnement qu'elle était cachetée. Je fus tellement surpris et irrité que je faillis revenir sans m'acquitter de ma commission. Puis je songeai que j'allais montrer là une susceptibilité de mauvais goût. Mon ami avait pu d'ailleurs fermer ce mot sans y prendre garde, dans le trouble où il était.

« Le manoir semblait abandonné depuis vingt ans. La barrière, ouverte et pourrie, tenait debout on ne sait comment. L'herbe emplissait les allées; on ne distinguait plus les plates-bandes du gazon.

« Au bruit que je fis en tapant à coups de pied dans un volet, un vieil homme sortit d'une porte de côté et parut stupéfait de me voir. Je sautai à terre et je remis [12] ma lettre. Il la lut, la relut, la retourna, me considéra en dessous, mit le papier dans sa poche et prononça :

« — Eh bien ! qu'est-ce que vous désirez ?

« Je répondis brusquement :

« — Vous devez le savoir, puisque vous avez reçu là dedans les ordres de votre maître ; je veux entrer dans ce château.

« Il semblait atterré. Il déclara :

« — Alors, vous allez dans... dans sa chambre ?

« Je commençais à m'impatienter.

« — Parbleu ! Mais est-ce que vous auriez l'intention de m'interroger, par hasard ?

« Il balbutia :

« — Non... Monsieur... mais c'est que... c'est qu'elle n'a pas été ouverte depuis... depuis la... mort [13]. Si vous voulez m'attendre cinq minutes, je vais aller... aller voir si...

« Je l'interrompis avec colère :

« — Ah ! çà, voyons, vous fichez-vous de moi ? Vous n'y pouvez pas entrer, puisque voici la clef.

« Il ne savait plus que dire.

« — Alors, Monsieur, je vais vous montrer la route.

« — Montrez-moi l'escalier et laissez-moi seul. Je la trouverai bien sans vous.

« — Mais... Monsieur... cependant...

« Cette fois, je m'emportai tout à fait :

« — Maintenant, taisez-vous, n'est-ce pas ? ou vous aurez affaire à moi.

« Je l'écartai violemment et je pénétrai dans la maison.

« Je traversai d'abord la cuisine, puis deux petites pièces que cet homme habitait avec sa femme. Je franchis ensuite un grand vestibule, je montai l'escalier et je reconnus la porte indiquée par mon ami.

« Je l'ouvris sans peine et j'entrai.

« L'appartement était tellement sombre que je n'y distinguai rien d'abord. Je m'arrêtai, saisi par cette odeur moisie et fade des pièces inhabitées et condamnées, des chambres mortes. Puis, peu à peu, mes yeux s'habituèrent à l'obscurité, et je vis assez nettement une grande pièce en désordre, avec un lit sans draps, mais gardant ses matelas et ses oreillers, dont l'un portait l'empreinte profonde d'un coude ou d'une tête comme si on venait de se poser dessus.

« Les sièges semblaient en déroute. Je remarquai qu'une porte, celle d'une armoire sans doute, était demeurée entr'ouverte.

« J'allai d'abord à la fenêtre pour donner du jour et je l'ouvris ; mais les ferrures du contrevent étaient tellement rouillées que je ne pus les faire céder.

« J'essayai même de les casser avec mon sabre, sans y parvenir. Comme je m'irritais de ces efforts inutiles, et comme mes yeux s'étaient enfin parfaitement accoutumés à l'ombre, je renonçai à l'espoir d'y voir plus clair et j'allais au secrétaire.

« Je m'assis dans un fauteuil, j'abattis la tablette, j'ouvris le tiroir indiqué. Il était plein jusqu'aux bords. Il ne me fallait que trois paquets, que je savais comment reconnaître, et je me mis à les chercher.

« Je m'écarquillais les yeux à déchiffrer les suscrip-

tions, quand je crus entendre ou plutôt sentir un
frôlement derrière moi. Je n'y pris point garde,
pensant qu'un courant d'air avait fait remuer quelque
étoffe. Mais, au bout d'une minute, un autre mouvement, presque indistinct, me fit passer sur la peau un
singulier petit frisson désagréable. C'était tellement
bête d'être ému, même à peine, que je ne voulus pas
me retourner, par pudeur pour moi-même. Je venais
alors de découvrir la seconde des liasses qu'il me
fallait ; et je trouvais justement la troisième, quand un
grand et pénible soupir, poussé contre mon épaule,
me fit faire un bond de fou à deux mètres de là. Dans
mon élan je m'étais retournée, la main sur la poignée
de mon sabre [14], et certes, si je ne l'avais pas senti à
mon côté, je [15] me serais enfui comme un lâche.

« Une grande femme vêtue de blanc me regardait,
debout derrière le fauteuil où j'étais assis une seconde
plus tôt.

« Une telle secousse me courut dans les membres
que je faillis m'abattre à la renverse ! Oh ! personne ne
peut comprendre, à moins de les avoir ressenties, ces
épouvantables et stupides terreurs. L'âme se fond ; on
ne sent plus son cœur ; le corps entier devient mou
comme une éponge ; on dirait que tout l'intérieur de
nous s'écroule.

« Je [16] ne crois pas aux fantômes ; eh bien ! j'ai
défailli sous la hideuse peur des morts ; et j'ai souffert,
oh ! souffert en quelques instants plus qu'en tout le
reste de ma vie, dans l'angoisse irrésistible des épou-
vantes surnaturelles.

« Si elle n'avait pas parlé, je serais mort peut-être !
Mais elle parla ; elle parla d'une voix douce et
douloureuse qui faisait vibrer les nerfs. Je n'oserais
pas dire que je redevins maître de moi et que je
retrouvai ma raison. Non. J'étais éperdu à ne plus
savoir ce que je faisais ; mais cette espèce de fierté
intime que j'ai en moi, un peu d'orgueil de métier
aussi [17], me faisaient garder, presque malgré moi, une
contenance honorable. Je posais [18] pour moi, et pour
elle sans doute, pour elle, quelle qu'elle fût, femme ou

spectre. Je me suis rendu compte de tout cela plus tard, car je vous assure que, dans l'instant de l'apparition, je ne songeais à rien. J'avais peur.

« Elle dit :

« — Oh ! Monsieur, vous pouvez me rendre un grand service !

« Je voulus répondre, mais il me fut impossible de prononcer un mot. Un bruit vague sortit de ma gorge.

« Elle reprit :

« — Voulez-vous ? Vous pouvez me sauver, me guérir. Je souffre affreusement. Je [19] souffre, oh ! je souffre !

« Et elle s'assit doucement dans mon fauteuil. Elle me regardait :

« — Voulez-vous ?

« Je fis : « Oui ! » de la tête, ayant encore la voix paralysée.

« Alors elle me tendit un peigne en [20] écaille et elle murmura :

« — Peignez-moi, oh ! peignez-moi ; cela me guérira ; il faut qu'on me peigne. Regardez ma tête... Comme je souffre ; et mes cheveux, comme ils me font mal !

« Ses cheveux dénoués, très longs, très noirs, me semblait-il, pendaient par-dessus le dossier du fauteuil et touchaient la terre.

« Pourquoi ai-je fait ceci ? Pourquoi ai-je reçu en frissonnant ce peigne, et pourquoi ai-je pris dans mes mains ses longs cheveux qui me donnèrent à la peau une sensation de froid atroce comme si j'eusse manié des serpents ? Je n'en sais rien.

« Cette sensation m'est restée dans les doigts et je tressaille en y songeant.

« Je la peignai. Je maniai je ne sais comment cette chevelure de glace. Je la tordis, je la renouai [21] et la dénouai ; je la tressai comme on tresse la crinière d'un cheval. Elle soupirait, penchait la tête, semblait heureuse.

« Soudain elle me dit : « Merci ! » m'arracha le

peigne des mains et s'enfuit par la porte que j'avais remarquée entr'ouverte.

« Resté seul, j'eus, pendant quelques secondes, ce trouble effaré des réveils après les cauchemars. Puis je repris enfin mes sens ; je courus à la fenêtre et je brisai les contrevents d'une poussée furieuse.

« Un flot de jour entra. Je m'élançai sur la porte par où cet être était parti. Je la trouvai fermée et inébranlable.

« Alors une fièvre de fuite m'envahit, une panique, la vraie panique des batailles [22]. Je saisis brusquement les trois paquets de lettres sur le secrétaire ouvert ; je traversai l'appartement en courant, je sautai les marches de l'escalier quatre par quatre, je me trouvai dehors je ne sais par où, et, apercevant mon cheval à dix pas de moi, je l'enfourchai d'un bond et partis au galop.

« Je ne m'arrêtai qu'à Rouen, et devant mon logis. Ayant jeté la bride à mon ordonnance, je me sauvai dans la chambre où je m'enfermai pour réfléchir.

« Alors, pendant une heure, je me demandai anxieusement si je n'avais pas été le jouet d'une hallucination. Certes, j'avais eu un de ces incompréhensibles ébranlements nerveux, un de ces affolements du cerveau qui enfantent les miracles, à qui le Surnaturel doit sa puissance.

« Et j'allais croire à une vision, à une erreur de mes sens, quand je m'approchai de ma fenêtre. Mes yeux, par hasard, descendirent sur ma poitrine. Mon dolman était plein de longs cheveux [23] de femme qui s'étaient enroulés aux boutons !

« Je les saisis un à un et je les jetai dehors avec des tremblements dans les doigts.

« Puis j'appelai mon ordonnance. Je me sentais trop ému, trop troublé, pour aller le jour même chez mon ami. Et puis je voulais mûrement réfléchir à ce que je devais lui dire.

« Je lui fis porter ses lettres, dont il remit un reçu au soldat. Il s'informa beaucoup de moi. On lui dit que j'étais souffrant, que j'avais reçu un coup de soleil, je ne sais quoi. Il parut inquiet.

« Je me rendis chez lui le lendemain, dès l'aube, résolu à lui dire la vérité. Il était sorti la veille au soir et pas [24] rentré.

« Je revins dans la journée, on ne l'avait pas revu. J'attendis une semaine. Il ne reparut pas. Alors je prévins la justice. On le fit rechercher partout, sans découvrir une trace de son passage ou de sa retraite.

« Une visite minutieuse fut faite du château abandonné. On n'y découvrit rien de suspect.

« Aucun indice ne révéla qu'une femme y eût été cachée.

« L'enquête n'aboutissant à rien, les recherches furent interrompues.

« Et, depuis cinquante-six ans, je n'ai rien appris. Je ne sais rien de plus. »

# LUI[1] ?

*A Pierre Decourcelle*[2].

Mon cher ami, tu n'y comprends rien? et je le conçois. Tu me crois devenu fou? Je le suis peut-être un peu, mais non pas pour les raisons que tu supposes.

Oui. Je me marie. Voilà.

Et pourtant mes idées et mes convictions n'ont pas changé. Je considère l'accouplement légal comme une bêtise. Je suis certain que huit maris sur dix sont cocus. Et ils ne méritent pas moins pour avoir eu l'imbécillité d'enchaîner leur vie, de renoncer à l'amour libre, la seule chose gaie et bonne au monde, de couper l'aile à la fantaisie qui nous pousse sans cesse à toutes les femmes, etc., etc. Plus que jamais je me sens incapable d'aimer une femme parce que j'aimerai toujours trop toutes les autres. Je voudrais avoir mille bras, mille lèvres et mille... tempéraments pour pouvoir étreindre en même temps une armée de ces êtres charmants et sans importance.

Et cependant[3] je me marie.

J'ajoute que je ne connais guère ma femme de demain. Je l'ai vue seulement quatre ou cinq fois. Je sais qu'elle ne me déplaît point; cela me suffit pour ce que j'en veux faire. Elle est petite, blonde et grasse. Après demain, je désirerai ardemment une femme grande, brune et mince.

Elle n'est pas riche. Elle appartient à une famille

moyenne. C'est une jeune fille comme on en trouve à la grosse, bonnes à marier, sans qualités et sans défauts apparents, dans la bourgeoisie ordinaire. On dit d'elle : « M$^{lle}$ Lajolle est bien gentille. » On dira demain : « Elle est fort gentille, M$^{me}$ Raymon. » Elle appartient enfin à la légion des jeunes filles honnêtes « dont on est heureux de faire sa femme » jusqu'au jour où on découvre qu'on préfère justement toutes les autres femmes à celle qu'on a choisie.

Alors pourquoi me marier, diras-tu ?

J'ose à peine t'avouer l'étrange et invraisemblable raison qui me pousse à cet acte insensé.

Je me marie pour n'être pas seul !

Je ne sais comment dire cela, comment me faire comprendre. Tu auras pitié de moi, et tu me mépriseras, tant mon état d'esprit est misérable.

Je ne veux plus être seul, la nuit. Je veux sentir un être près de moi, contre moi, un être qui peut parler, dire quelque chose, n'importe quoi.

Je veux pouvoir briser son sommeil ; lui poser une question quelconque brusquement, une question stupide pour entendre une voix, pour sentir habitée ma demeure, pour sentir une âme en éveil, un raisonnement en travail, pour voir, allumant brusquement ma bougie, une figure humaine à mon côté... parce que... parce que... (je n'ose pas avouer cette$^4$ honte)... parce que j'ai peur, tout seul.

Oh ! tu ne me comprends pas encore.

Je n'ai pas peur d'un danger. Un homme entrerait, je le tuerais sans frissonner. Je n'ai pas peur des revenants ; je ne crois pas au surnaturel. Je n'ai pas peur des morts ; je crois à l'anéantissement définitif de chaque être qui disparaît !

Alors !... oui. Alors !... Eh bien ! J'ai peur de moi ! j'ai peur de la peur ; peur des spasmes de mon esprit qui s'affole, peur de cette horrible sensation de la terreur incompréhensible.

Ris si tu veux. Cela est affreux, inguérissable. J'ai peur des murs, des meubles, des objets familiers qui s'animent, pour moi, d'une sorte de vie animale. J'ai peur surtout du trouble horrible de ma pensée, de ma raison qui m'échappe brouillée, dispersée par une mystérieuse et invisible angoisse.

Je sens d'abord une vague inquiétude qui me passe dans l'âme et me fait courir un frisson sur la peau. Je regarde autour de moi. Rien ! Et je voudrais quelque chose ! Quoi ? Quelque chose de compréhensible. Puisque j'ai peur uniquement parce que je ne comprends pas ma peur.

Je parle ! j'ai peur de ma voix. Je marche ! j'ai peur de l'inconnu de derrière la porte, de derrière le rideau, de dans l'armoire, de sous le lit. Et pourtant je sais qu'il n'y a rien nulle part.

Je me retourne brusquement parce que j'ai peur de ce qui est derrière moi, bien qu'il n'y ait rien et que je le sache.

Je m'agite, je sens mon effarement grandir ; et je m'enferme dans ma chambre ; et je m'enfonce dans mon lit, et je me cache sous mes draps ; et blotti, roulé comme une boule, je ferme les yeux désespérément, et je demeure ainsi pendant un temps infini avec cette pensée que ma bougie demeure allumée sur ma table de nuit et qu'il faudrait pourtant l'éteindre. Et je n'ose pas.

N'est-ce pas affreux, d'être ainsi ?

Autrefois je n'éprouvais rien de cela. Je rentrais tranquillement. J'allais et je venais en mon logis sans que rien troublât la sérénité de mon âme. Si l'on m'avait dit quelle maladie de peur invraisemblable, stupide et terrible, devait me saisir un jour, j'aurais bien ri ; j'ouvrais les portes dans l'ombre avec assurance ; je me couchais lentement, sans pousser les verrous, et je ne me relevais jamais au milieu des nuits pour m'assurer que toutes les issues de ma chambre étaient fortement closes.

Cela a commencé l'an dernier d'une singulière façon.

C'était en automne, par un soir humide. Quand ma bonne fut partie, après mon dîner, je me demandai ce que j'allais faire. Je marchai quelque temps à travers ma chambre. Je me sentais las, accablé sans raison, incapable de travailler, sans force même pour lire. Une pluie fine mouillait les vitres ; j'étais triste, tout pénétré par une de ces tristesses sans causes qui vous donnent envie de pleurer, qui vous font désirer de parler à n'importe qui pour secouer la lourdeur de notre pensée.

Je me sentais seul. Mon logis me paraissait vide comme il n'avait jamais été. Une solitude infinie et navrante m'entourait. Que faire ? Je m'assis. Alors une impatience nerveuse me courut dans les jambes. Je me relevai, et je me remis à marcher. J'avais peut-être aussi un peu de fièvre, car mes mains, que je tenais rejointes derrière mon dos, comme on fait souvent quand on se promène avec lenteur, se brûlaient l'une à l'autre [5] et je le remarquai. Puis soudain un frisson de froid me courut dans le dos. Je pensai que l'humidité du dehors entrait chez moi, et l'idée de faire du feu me vint. J'en allumai, c'était la première fois de l'année. Et je m'assis de nouveau en regardant la [6] flamme. Mais bientôt l'impossibilité de rester en place me fit encore me relever, et je sentis qu'il fallait m'en aller, me [7] secouer, trouver un ami.

Je sortis. J'allai chez trois camarades que je ne rencontrai pas ; puis, je gagnai le boulevard, décidé à découvrir une personne de connaissance.

Il faisait triste partout. Les trottoirs trempés luisaient. Une tiédeur d'eau, une de ces tiédeurs qui vous glacent par frissons brusques, une tiédeur pesante de pluie impalpable accablait la rue, semblait lasser et obscurcir la flamme du gaz.

J'allais d'un pas mou, me répétant : « Je ne trouverai personne avec qui causer. »

J'inspectai plusieurs fois les cafés, depuis la Madeleine jusqu'au faubourg Poissonnière. Des gens tristes, assis devant des tables, semblaient n'avoir pas même la force de finir leurs consommations.

J'errai longtemps ainsi, et vers minuit, je me mis en route pour rentrer chez moi. J'étais fort calme, mais fort las. Mon concierge, qui se couche avant onze heures, m'ouvrit tout de suite, contrairement à son habitude ; et je pensai : « Tiens, un autre locataire vient sans doute de remonter. »

Quand je sors de chez moi, je donne toujours à ma porte deux tours de clef. Je la trouvai simplement tirée, et cela me frappa. Je supposai qu'on m'avait monté des lettres dans la soirée.

J'entrai. Mon feu brûlait encore et éclairait même un peu l'appartement. Je pris une bougie pour aller l'allumer au foyer, lorsqu'en jetant les yeux devant moi, j'aperçus quelqu'un assis dans mon fauteuil, et qui se chauffait les pieds en me tournant le dos.

Je n'eus pas peur, oh ! non, pas le moins du monde. Une supposition très vraisemblable me traversa l'esprit ; celle qu'un de mes amis était venu pour me voir. La concierge, prévenue par moi à ma sortie, avait dit que j'allais rentrer, avait prêté sa clef. Et toutes les circonstances de mon retour, en une seconde, me revinrent à la pensée : le cordon tiré tout de suite, ma porte seulement poussée.

Mon ami, dont je ne voyais que les cheveux, s'était endormi devant mon feu en m'attendant, et je m'avançai pour le réveiller. Je le voyais parfaitement, un de ses bras pendant à droite ; ses pieds étaient croisés l'un sur l'autre ; sa tête, penchée un peu sur le côté gauche du fauteuil, indiquait bien le sommeil. Je me demandais :

Qui est-ce ? On y voyait peu d'ailleurs dans la pièce. J'avançai la main pour lui toucher l'épaule !...

Je rencontrai le bois du siège ! Il n'y avait plus personne. Le fauteuil était vide !

Quel sursaut, miséricorde !

Je reculai d'abord comme si un danger terrible eût apparu devant moi.

Puis je me retournai, sentant quelqu'un derrière mon dos ; puis, aussitôt, un impérieux besoin de revoir le fauteuil me fit pivoter encore une fois. Et je demeurai debout, haletant d'épouvante, tellement éperdu que je n'avais plus une pensée, prêt à tomber.

Mais je suis un homme de sang-froid, et tout de

suite la raison me revint. Je songeai : « Je viens d'avoir une hallucination, voilà tout. » Et je réfléchis immédiatement sur ce phénomène. La pensée va vite dans ces moments-là.

J'avais eu une hallucination — c'était là un fait incontestable. Or, mon esprit était demeuré tout le temps lucide, fonctionnant régulièrement et logiquement. Il n'y avait donc aucun trouble du côté du cerveau. Les yeux seuls s'étaient trompés, avaient trompé ma pensée. Les yeux avaient eu une vision, une de ces visions qui font croire aux miracles les gens naïfs. C'était là un accident nerveux de l'appareil optique, rien de plus, un peu de congestion peut-être [8].

Et j'allumai ma bougie. Je m'aperçus, en me baissant vers le feu, que je tremblais, et je me relevai d'une secousse, comme si on m'eût touché par derrière.

Je n'étais point tranquille assurément.

Je fis quelques pas ; je parlai haut. Je chantai à mi-voix quelques refrains.

Puis je fermai la porte de ma chambre à double tour, et je me sentis un peu rassuré. Personne ne pouvait entrer, au moins.

Je m'assis encore et je réfléchis longtemps à mon aventure ; puis je me couchai, et je soufflai ma lumière.

Pendant quelques minutes, tout alla bien. Je restais sur le dos, assez paisiblement. Puis le besoin me vint de regarder dans ma chambre ; et je me mis sur le côté.

Mon feu n'avait plus que deux ou trois tisons rouges qui éclairaient juste les pieds du fauteuil ; et je crus revoir l'homme assis dessus.

J'enflammai une allumette d'un mouvement rapide. Je m'étais trompé, je ne voyais plus rien.

Je me levai, cependant, et j'allai cacher le fauteuil derrière mon lit.

Puis je refis l'obscurité et je tâchai de m'endormir. Je n'avais pas perdu connaissance [9] depuis plus de cinq minutes, quand j'aperçus, en songe, et nettement comme dans la réalité, toute la scène de la soirée. Je me réveillai éperdument, et, ayant éclairé mon logis, je demeurai assis dans mon lit, sans oser même essayer de redormir.

Deux fois cependant le sommeil m'envahit, malgré moi, pendant quelques secondes. Deux fois je revis la chose. Je me croyais devenu fou.

Quand le jour parut, je me sentis guéri et je sommeillai paisiblement jusqu'à midi.

C'était fini, bien fini. J'avais eu la fièvre, le cauchemar, que sais-je? J'avais été malade, enfin. Je me trouvai néanmoins fort bête.

Je fus très gai ce jour-là. Je dînai au cabaret; j'allai voir le spectacle, puis je me mis en chemin pour rentrer. Mais voilà qu'en approchant de ma maison une inquiétude étrange me saisit. J'avais peur de le revoir, lui. Non pas peur de lui, non pas peur de sa présence, à laquelle je ne croyais point, mais j'avais peur d'un trouble nouveau de mes yeux, peur de l'hallucination, peur de l'épouvante qui me saisirait.

Pendant plus d'une heure, j'errai de long en large sur le trottoir; puis je me trouvai trop imbécile à la fin et j'entrai. Je haletais tellement que je ne pouvais plus monter mon escalier. Je restai encore plus de dix minutes devant mon logement sur le palier, puis, brusquement, j'eus un élan de courage, un roidissement de volonté. J'enfonçai ma clef; je me précipitai en avant une bougie à la main, je poussai d'un coup de pied la porte entrebâillée de ma chambre, et je jetai un regard effaré vers la cheminée. Je ne vis rien. — Ah!...

Quel soulagement! Quelle joie! Quelle délivrance! J'allais et je venais d'un air gaillard. Mais je ne me sentais pas rassuré; je me retournais par sursauts; l'ombre des coins m'inquiétait.

Je dormis mal, réveillé sans cesse par des bruits imaginaires. Mais je ne le vis pas. Non. C'était fini!

Depuis ce jour-là j'ai peur tout seul, la nuit. Je la sens là, près de moi, autour de moi, la vision. Elle ne m'est point apparue de nouveau. Oh non! Et qu'importe, d'ailleurs, puisque je n'y crois pas, puisque je sais que ce n'est rien !

Elle me gêne cependant parce que j'y pense sans cesse. — Une main pendait du côté droit, sa tête était penchée du côté gauche comme celle d'un homme qui dort... Allons, assez, nom de Dieu ! je [10] n'y veux plus songer !

Qu'est-ce que cette obsession, pourtant ? Pourquoi cette persistance ? Ses pieds étaient tout près du feu !

Il me hante, c'est fou, mais c'est ainsi. Qui, Il ? Je [11] sais bien qu'il n'existe pas, que ce n'est rien ! Il n'existe que dans mon appréhension, que dans ma crainte, que dans mon angoisse ! Allons, assez !...

Oui, mais j'ai beau me raisonner, me roidir, je ne peux plus rester seul chez moi, parce qu'il y est. Je ne le verrai plus, je le sais, il ne se montrera plus, c'est fini cela. Mais il y est tout de même, dans ma pensée. Il demeure invisible, cela n'empêche qu'il y soit. Il est derrière les portes, dans l'armoire fermée, sous le lit, dans tous les coins obscurs, dans toutes les ombres. Si je tourne la porte, si j'ouvre l'armoire, si je baisse ma lumière sous le lit, si j'éclaire les coins, les ombres, il n'y est plus ; mais alors je le sens derrière moi. Je me retourne, certain cependant que je ne le verrai pas, que je ne le verrai plus. Il n'en est pas moins derrière moi, encore.

C'est stupide, mais c'est atroce. Que veux-tu ? Je n'y peux rien.

Mais si nous étions deux chez moi, je sens, oui, je sens assurément qu'il n'y serait plus ! Car il est là parce que je suis seul, uniquement parce que je suis seul !

# L'ENFANT[1]

On parlait, après le dîner, d'un avortement qui venait d'avoir lieu dans la commune. La baronne s'indignait : Était-ce possible, une chose pareille ! La fille, séduite par un garçon boucher, avait jeté son enfant dans une marnière ! Quelle horreur ! On avait même prouvé que le pauvre petit être n'était pas mort sur le coup.

Le médecin, qui dînait au château ce soir-là, donnait des détails horribles d'un air tranquille ; et il paraissait émerveillé du courage de la misérable mère, qui avait fait deux kilomètres à pied, ayant accouché toute seule, pour assassiner son enfant[2]. Il répétait : « Elle est en fer, cette femme ! Et quelle énergie sauvage il lui a fallu pour traverser le bois, la nuit, avec son petit qui gémissait dans ses bras ! Je demeure éperdu devant de pareilles souffrances morales. Songez donc à l'épouvante de cette âme, au déchirement de ce cœur ! Comme la vie est odieuse et misérable ! D'infâmes préjugés, oui, madame, d'infâmes préjugés, un faux honneur, plus abominable que le crime, toute une accumulation de sentiments factices, d'honorabilité odieuse, de révoltante honnêteté poussent à l'assassinat, à l'infanticide de pauvres filles qui ont obéi sans résistance à la loi impérieuse de la vie. Quelle honte pour l'humanité d'avoir établi une pareille morale et fait un crime de l'embrassement libre de deux êtres ! »

La baronne était devenue pâle d'indignation.

Elle répliqua : « Alors, docteur, vous mettez le vice au-dessus de la vertu, la prostituée avant l'honnête femme ! Celle qui s'abandonne à ses instincts honteux vous paraît l'égale de l'épouse irréprochable qui accomplit son devoir dans l'intégrité de sa conscience ! »

Le médecin, un vieil homme qui avait touché à bien des plaies, se leva, et, d'une voix forte : « Vous parlez, madame, de choses que vous ignorez, n'ayant point connu les invincibles passions. Laissez-moi vous dire une aventure récente dont je fus témoin.

Oh ! madame, soyez toujours indulgente, et bonne, et miséricordieuse ; vous ne savez pas !

Malheur à ceux à qui la perfide nature a donné des sens inapaisables ! Les gens calmes, nés sans instincts violents, vivent honnêtes, par nécessité. Le devoir est facile à ceux que ne torturent jamais les désirs enragés.

Je vois des petites bourgeoises au sang froid, aux mœurs rigides, d'un esprit moyen et d'un cœur modéré, pousser des cris d'indignation quand elles apprennent les fautes des femmes tombées.

Ah ! vous dormez tranquille dans un lit pacifique que ne hantent point les rêves éperdus. Ceux qui vous entourent sont comme vous, font comme vous, préservés par la sagesse instinctive de leurs sens. Vous luttez à peine contre des apparences d'entraînement. Seul, votre esprit suit parfois des pensées malsaines, sans que tout votre corps se soulève rien qu'à l'effleurement de l'idée tentatrice.

Mais chez ceux-là que le hasard a faits passionnés, madame, les sens sont invincibles. Pouvez-vous arrêter le vent, pouvez-vous arrêter la mer démontée ? Pouvez-vous entraver les forces de la nature ? Non. Les sens aussi sont des forces de la nature, invincibles comme la mer et le vent. Ils soulèvent et entraînent l'homme et le jettent à la volupté sans qu'il puisse résister à la véhémence de son désir. Les femmes irréprochables sont les femmes sans tempérament. Elles sont nombreuses. Je ne leur sais pas gré de leur vertu, car elles n'ont pas à lutter. Mais jamais, entendez-vous, jamais une Messaline, une Catherine ne sera sage [3]. Elle ne le peut pas. Elle est créée pour la caresse furieuse ! Ses organes ne ressemblent point aux vôtres, sa chair est différente, plus vibrante, plus affolée au moindre contact d'une autre chair ; et ses nerfs travaillent, la bouleversent et la domptent alors que les vôtres n'ont rien ressenti. Essayez donc de nourrir un épervier avec les petits grains ronds que vous donnez au perroquet ? Ce sont deux oiseaux pourtant qui ont un gros bec crochu. Mais leurs instincts sont différents.

Oh ! les sens ! Si vous saviez quelle puissance ils ont. Les sens qui vous tiennent, haletant pendant des nuits entières, la peau chaude, le cœur précipité, l'esprit harcelé de visions affolantes ! Voyez-vous, madame, les gens à principes inflexibles sont tout simplement des gens froids, désespérément jaloux des autres, sans le savoir.

Écoutez-moi.

Celle que j'appellerai M^{me} Hélène avait des sens. Elle les avait eus dès sa petite enfance. Chez elle ils s'étaient éveillés alors que la parole commence. Vous me direz que c'était une malade. Pourquoi ? N'êtes-vous pas plutôt des affaiblis ? On me consulta lorsqu'elle avait douze ans. Je constatai qu'elle était femme déjà et harcelée sans repos par des désirs d'amour. Rien qu'à la voir on le sentait. Elle avait des lèvres grasses, retournées, ouvertes comme des fleurs, un cou fort, une peau chaude, un nez large, un peu ouvert et palpitant, de grands yeux clairs dont le regard allumait les hommes.

Qui donc aurait pu calmer le sang de cette bête ardente ? Elle passait des nuits à pleurer sans cause. Elle souffrait à mourir de rester sans mâle.

À quinze ans, enfin, on la maria.

Deux ans plus tard, son mari mourait poitrinaire. Elle l'avait épuisé.

Un autre en dix-huit mois eut le même sort. Le troisième résista quatre ans, puis la quitta. Il était temps. Demeurée seule, elle voulut rester sage. Elle avait tous vos préjugés. Un jour enfin elle m'appela, ayant des crises nerveuses qui l'inquiétaient. Je reconnus immédiatement qu'elle allait mourir de son veuvage. Je le lui dis.

C'était une honnête femme, madame; malgré les tortures qu'elle endurait, elle ne voulut pas suivre mon conseil de prendre un amant.

Dans le pays on la disait folle. Elle sortait la nuit et faisait des courses désordonnées pour affaiblir son corps révolté. Puis elle tombait en des syncopes que suivaient des spasmes effrayants.

Elle vivait seule en son château proche du château de sa mère et de ceux de ses parents. Je l'allais la voir de temps en temps, ne sachant que faire contre cette volonté acharnée de la nature ou contre sa volonté à elle.

Or, un soir, vers huit heures, elle entra chez moi comme je finissais de dîner. A peine fûmes-nous seuls, elle me dit :

« Je suis perdue. Je suis enceinte ! »

Je fis un soubresaut sur ma chaise.

« Vous dites ?

— Je suis enceinte.

— Vous ?

— Oui, moi. » Et brusquement, d'une voix saccadée, en me regardant bien en face : « Enceinte de mon jardinier, docteur. J'ai eu un commencement d'évanouissement en me promenant dans le parc. L'homme, m'ayant vue tomber, est accouru et m'a prise en ses bras pour m'emporter. Qu'ai-je fait ? Je ne le sais plus ! L'ai-je étreint, embrassé ? Peut-être. Vous connaissez ma misère et ma honte. Enfin il m'a possédée ! Je suis coupable, car je me suis encore donnée le lendemain de la même façon, et d'autres fois encore. C'était fini. Je ne savais plus résister !... »

Elle eut dans la gorge un sanglot, puis reprit d'une voix fière : « Je le payais, je préférais cela à l'amant que vous me conseilliez de prendre. Il m'a rendue grosse.

« Oh ! je me confesse à vous sans réserve et sans hésitations. J'ai essayé de me faire avorter. J'ai pris des bains brûlants ; j'ai monté des chevaux difficiles, j'ai fait du trapèze, j'ai bu des drogues, de l'absinthe, du safran[4], d'autres encore. Mais je n'ai point réussi.

« Vous connaissez mon père, mes frères ! Je suis perdue. Ma sœur est mariée à un honnête homme. Ma honte aussi rejaillira sur eux. Et songez à tous nos amis, à tous nos voisins, à notre nom..., à ma mère... »

Elle se mit à sangloter. Je lui pris les mains et je l'interrogeai. Puis je lui donnai le conseil de faire un long voyage et d'aller accoucher au loin.

Elle répondait : « Oui... oui... oui... c'est cela... », sans avoir l'air d'écouter. Puis elle partit.

J'allai la voir plusieurs fois. Elle devenait folle.

L'idée de cet enfant grandissant dans son ventre, de cette honte vivante lui était entrée dans l'âme comme une flèche aiguë. Elle y pensait sans repos, n'osait plus sortir le jour, ni voir personne de peur qu'on ne découvrît son abominable secret. Chaque soir elle se dévêtait devant son armoire à glace et regardait son flanc déformé ; puis elle se jetait par terre, une serviette dans la bouche pour étouffer ses cris. Vingt fois par nuit elle se relevait, allumait sa bougie et retournait devant le large miroir qui lui renvoyait l'image bosselée de son corps nu. Alors, éperdue, elle se frappait le ventre à coups de poing pour le tuer, cet être qui la perdait. C'était entre eux une lutte horrible. Mais il ne mourait pas ; et, sans cesse, il s'agitait comme s'il se fût défendu. Elle se roulait sur le parquet pour l'écraser contre terre ; elle essaya de dormir avec un poids sur le corps pour l'étouffer. Elle le haïssait comme on hait l'ennemi acharné qui menace votre vie.

Après ces luttes inutiles, ces impuissants efforts pour se débarrasser de lui, elle se sauvait par les champs, courant éperdument folle de malheur et d'épouvante. On la ramassa un matin, les pieds dans un ruisseau, les yeux égarés ; on crut qu'elle avait un accès de délire, mais on ne s'aperçut de rien.

Une idée fixe la tenait. Ôter de son corps cet enfant maudit.

Or sa mère, un soir, lui dit en riant : « Comme tu engraisses, Hélène ; si tu étais mariée, je te croirais enceinte. »

Elle dut recevoir un coup mortel de ces paroles. Elle partit presque aussitôt et rentra chez elle.

Que fit-elle ? Sans doute encore elle regarda long-temps son ventre enflé ; sans doute, elle le frappa, le meurtrit, le heurta aux angles des meubles comme elle faisait chaque soir.

Puis elle descendit, nu-pieds, à la cuisine, ouvrit l'armoire et prit le grand couteau qui sert à couper les viandes. Elle remonta, alluma quatre bougies et s'assit, sur une chaise d'osier tressé, devant sa glace. Alors, exaspérée de haine contre cet embryon inconnu et redoutable, le voulant arracher, et tuer enfin, le voulant tenir en ses mains, étrangler et jeter au loin, elle pressa la place où remuait cette larve et d'un seul coup de la lame aiguë elle se fendit le ventre. Oh ! elle opéra, certes, très vite et très bien, car elle le saisit, cet ennemi qu'elle n'avait pu encore atteindre. Elle le prit par une jambe, l'arracha d'elle et le voulut lancer dans la cendre du foyer. Mais il tenait par des liens qu'elle n'avait pu trancher, et, avant qu'elle eût compris peut-être ce qui lui restait à faire pour se séparer de lui, elle tomba inanimée sur l'enfant noyé dans un flot de sang.

Fut-elle bien coupable, madame ?

*

Le médecin se tut et attendit. La baronne ne répondit pas.

# SOLITUDE [1]

C'était après un dîner d'hommes. On avait été fort gai. Un d'eux, un vieil ami, me dit :

— Veux-tu remonter à pied l'avenue des Champs-Élysées ?

Et nous voilà partis, suivant à pas lents la longue promenade, sous les arbres à peine vêtus de feuilles encore. Aucun bruit, que cette rumeur confuse et continue que fait Paris. Un vent frais nous passait sur le visage, et la légion des étoiles semait sur le ciel noir une poudre d'or.

Mon compagnon me dit :

— Je ne sais pourquoi, je respire mieux ici, la nuit, que partout ailleurs. Il me semble que ma pensée s'y élargit. J'ai, par moments, ces espèces de lueurs dans l'esprit qui font croire, pendant une seconde, qu'on va découvrir le divin secret des choses. Puis la fenêtre se referme. C'est fini.

De temps en temps, nous voyions glisser deux ombres le long des massifs ; nous passions devant un banc où deux êtres, assis côte à côte, ne faisaient qu'une tache noire.

Mon voisin murmura :

— Pauvres gens ! Ce n'est pas du dégoût qu'ils m'inspirent, mais une immense pitié. Parmi tous les mystères de la vie humaine, il en est un que j'ai pénétré : notre grand tourment dans l'existence vient de ce que nous sommes éternellement seuls, et tous nos efforts, tous nos actes ne tendent qu'à fuir cette solitude. Ceux-là, ces amoureux des bancs en plein air, cherchent, comme nous, comme toutes les créatures, à faire cesser leur isolement, rien que pendant une minute au moins; mais ils demeurent, demeureront toujours seuls; et nous aussi.

On s'en aperçoit plus ou moins, voilà tout.

Depuis quelque temps j'endure cet abominable supplice d'avoir compris, d'avoir découvert l'affreuse solitude où je vis, et je sais que rien ne peut la faire cesser, rien, entends-tu! Quoi que nous tentions, quoi que nous fassions, quels que soient l'élan de nos cœurs, l'appel de nos lèvres et l'étreinte de nos bras, nous sommes toujours seuls.

Je t'ai entraîné ce soir, à cette promenade, pour ne pas rentrer chez moi, parce que je souffre horriblement, maintenant, de la solitude de mon logement. À quoi cela me servira-t-il? Je te parle, tu m'écoutes, et nous sommes seuls tous deux, côte à côte, mais seuls. Me comprends-tu?

Bienheureux les simples d'esprit, dit l'Écriture[2]. Ils ont l'illusion du bonheur. Ils ne sentent pas, ceux-là, notre misère solitaire, ils n'errent pas, comme moi, dans la vie, sans autre contact que celui des coudes, sans autre joie que l'égoïste satisfaction de comprendre, de voir, de deviner et de souffrir sans fin de la connaissance de notre éternel isolement.

Tu me trouves un peu fou, n'est-ce pas?

Écoute-moi. Depuis que j'ai senti la solitude de mon être, il me semble que je m'enfonce, chaque jour davantage, dans un souterrain sombre, dont je ne trouve pas les bords, dont je ne connais pas la fin, et qui n'a point de bout, peut-être! J'y vais sans personne avec moi, sans personne autour de moi, sans personne de vivant faisant cette même route ténébreuse. Ce souterrain, c'est la vie. Parfois j'entends des bruits, des voix, des cris... je m'avance à tâtons vers ces rumeurs confuses. Mais je ne sais jamais au juste d'où elles partent; je ne rencontre jamais personne, je ne trouve jamais une autre main dans ce noir qui m'entoure. Me comprends-tu ?

Quelques hommes ont parfois deviné cette souffrance atroce.

Musset s'est écrié :

> Qui vient ? Qui m'appelle ? Personne.
> Je suis seul. — C'est l'heure qui sonne.
> Ô solitude ! — Ô pauvreté [3] !

Mais, chez lui, ce n'était là qu'un doute passager, et non pas une certitude définitive, comme chez moi. Il était poète ; il peuplait la vie de fantômes, de rêves. Il n'était jamais vraiment seul. — Moi, je suis seul !

Gustave Flaubert, un des grands malheureux de ce monde, parce qu'il était un des grands lucides, n'écrivit-il pas à une amie cette phrase désespérante : « Nous sommes tous dans un désert. Personne ne comprend personne [4]. »

Non, personne ne comprend personne, quoi qu'on pense, quoi qu'on dise, quoi qu'on tente. La terre sait-elle ce qui se passe dans ces étoiles que voilà, jetées comme une graine de feu à travers l'espace, si loin que nous apercevons seulement la clarté de quelques-unes, alors que l'innombrable armée des autres est perdue dans l'infini, si proches qu'elles forment peut-être un tout, comme les molécules d'un corps ?

Eh bien, l'homme ne sait pas davantage ce qui se passe dans un autre homme. Nous sommes plus loin l'un de l'autre que ces astres, plus isolés surtout, parce que la pensée est insondable.

Sais-tu quelque chose de plus affreux que ce constant frôlement des êtres que nous ne pouvons pénétrer ! Nous nous aimons les uns les autres comme si nous étions enchaînés, tout près, les bras tendus, sans parvenir à nous joindre. Un torturant besoin d'union nous travaille, mais tous nos efforts restent stériles, nos abandons inutiles, nos confidences infructueuses, nos étreintes impuissantes, nos caresses vaines. Quand nous voulons nous mêler, nos élans de l'un vers l'autre ne font que nous heurter l'un à l'autre.

Je ne me sens jamais plus seul que lorsque je livre mon cœur à quelque ami, parce que je comprends mieux alors l'infranchissable obstacle. Il est là, cet homme ; je vois ses yeux clairs sur moi ! Mais son âme, derrière eux, je ne la connais point. Il m'écoute. Que pense-t-il ? Oui, que pense-t-il ? Tu ne comprends pas ce tourment ? Il me hait peut-être ? ou me méprise ? ou se moque de moi ? Il réfléchit à ce que je dis, il me juge, il me raille, il me condamne, m'estime médiocre ou sot. Comment savoir ce qu'il pense ? Comment savoir s'il m'aime comme je l'aime ? et ce qui s'agite dans cette petite tête ronde ? Quel mystère que la pensée inconnue d'un être, la pensée cachée et libre, que nous ne pouvons ni connaître, ni conduire, ni dominer, ni vaincre !

Et moi, j'ai beau vouloir me donner tout entier, ouvrir toutes les portes de mon âme, je ne parviens point à me livrer. Je garde au fond, tout au fond, ce lieu secret du *Moi* où personne ne pénètre. Personne ne peut le découvrir, y entrer, parce que personne ne me ressemble, parce que personne ne comprend personne.

Me comprends-tu, au moins, en ce moment, toi ? Non, tu me juges fou ! tu m'examines, tu te gardes de moi ! Tu te demandes : « Qu'est-ce qu'il a, ce soir ? » Mais si tu parviens à saisir un jour, à bien deviner mon horrible et subtile souffrance, viens-t'en me dire seulement : *Je t'ai compris !* et tu me rendras heureux, une seconde, peut-être.

Ce sont les femmes qui me font encore le mieux apercevoir ma solitude.

Misère ! misère ! Comme j'ai souffert par elles, parce qu'elles m'ont donné souvent, plus que les hommes, l'illusion de n'être pas seul !

Quand on entre dans l'Amour, il semble qu'on s'élargit. Une félicité surhumaine vous envahit ! Sais-tu pourquoi ? Sais-tu d'où vient cette sensation d'immense bonheur ? C'est uniquement parce qu'on s'imagine n'être plus seul. L'isolement, l'abandon de l'être humain paraît cesser. Quelle erreur !

Plus tourmentée encore que nous par cet éternel besoin d'amour qui ronge notre cœur solitaire, la femme est le grand mensonge du Rêve.

Tu connais ces heures délicieuses passées face à face avec cet être à longs cheveux, aux traits charmeurs et dont le regard nous affole. Quel délire égare notre esprit ! Quelle illusion nous emporte !

Elle et moi, nous n'allons plus faire qu'un tout à l'heure, semble-t-il ? Mais ce tout à l'heure n'arrive jamais, et, après des semaines d'attente, d'espérance et de joie trompeuse, je me retrouve tout à coup, un jour, plus seul que je ne l'avais encore été.

Après chaque baiser, après chaque étreinte, l'isolement s'agrandit. Et comme il est navrant, épouvantable !

Un poète, M. Sully Prudhomme, n'a-t-il pas écrit :

> Les caresses ne sont que d'inquiets transports,
> Infructueux essais du pauvre amour qui tente
> L'impossible union des âmes par les corps [5]...

Et puis, adieu. C'est fini. C'est à peine si on reconnaît cette femme qui a été tout pour nous pendant un moment de la vie, et dont nous n'avons jamais connu la pensée intime et banale sans doute !

Aux heures mêmes où il semblait que, dans un accord mystérieux des êtres, dans un complet emmêlement des désirs et de toutes les aspirations, on était descendu jusqu'au profond de son âme, un mot, un seul mot, parfois, nous révélait notre erreur, nous montrait, comme un éclair dans la nuit, le trou noir entre nous.

Et pourtant, ce qu'il y a encore de meilleur au monde, c'est de passer un soir auprès d'une femme qu'on aime, sans parler, heureux presque complètement par la seule sensation de sa présence. Ne demandons pas plus, car jamais deux êtres ne se mêlent.

Quant à moi, maintenant, j'ai fermé mon âme. Je ne dis plus à personne ce que je crois, ce que je pense et ce que j'aime. Me sachant condamné à l'horrible solitude, je regarde les choses, sans jamais émettre mon avis. Que m'importent les opinions, les querelles, les plaisirs, les croyances ! Ne pouvant rien partager avec personne, je me suis désintéressé de tout. Ma pensée, invisible, demeure inexplorée. J'ai des phrases banales pour répondre aux interrogations de chaque jour, et un sourire qui dit : « oui », quand je ne veux même pas prendre la peine de parler.

Me comprends-tu ?

Nous avions remonté la longue avenue jusqu'à l'arc de triomphe de l'Étoile, puis nous étions redescendus jusqu'à la place de la Concorde, car il avait énoncé tout cela lentement, en ajoutant encore beaucoup d'autres choses dont je ne me souviens plus.

Il s'arrêta et, brusquement, tendant le bras vers le haut obélisque de granit, debout sur le pavé de Paris et qui perdait, au milieu des étoiles, son long profil égyptien, monument exilé, portant au flanc l'histoire de son pays écrite en signes étranges, mon ami s'écria :

— Tiens, nous sommes tous comme cette pierre.

Puis il me quitta sans ajouter un mot.

Était-il gris ? Était-il fou ? Était-il sage ? Je ne le sais encore. Parfois il me semble qu'il avait raison ; parfois il me semble qu'il avait perdu l'esprit.

# LA CHEVELURE[1]

Les murs de la cellule étaient nus, peints à la chaux. Une fenêtre étroite et grillée, percée très haut de façon qu'on ne pût pas y atteindre, éclairait cette petite pièce claire et sinistre ; et le fou, assis sur une chaise de paille, nous regardait d'un œil fixe, vague et hanté. Il était fort maigre, avec des joues creuses et des cheveux presque blancs qu'on devinait blanchis en quelques mois. Ses vêtements semblaient trop larges pour ses membres secs, pour sa poitrine rétrécie, pour son ventre creux. On sentait cet homme ravagé, rongé par sa pensée, par une Pensée, comme un fruit par un ver. Sa Folie, son idée était là, dans cette tête, obstinée, harcelante, dévorante. Elle mangeait le corps peu à peu. Elle, l'Invisible, l'Impalpable, l'Insaisissable, l'Immatérielle Idée minait la chair, buvait le sang, éteignait la vie.

Quel mystère que cet homme tué par un Songe ! Il faisait peine, peur et pitié, ce Possédé ! Quel rêve étrange, épouvantable et mortel habitait dans ce front, qu'il plissait de rides profondes, sans cesse remuantes ?

Le médecin me dit : « Il a de terribles accès de fureur, c'est un des déments les plus singuliers que j'aie vus. Il est atteint de folie érotique et macabre. C'est une sorte de nécrophile. Il a d'ailleurs écrit son journal qui nous montre le plus clairement du monde la maladie de son esprit. Sa folie y est pour ainsi dire

palpable. Si cela vous intéresse vous pouvez parcourir
ce document. » Je suivis le docteur dans son cabinet,
et il me remit le journal de ce misérable homme.
« Lisez, dit-il, et vous me direz votre avis. »

Voici ce que contenait ce cahier :

★

Jusqu'à l'âge de trente-deux ans, je vécus tranquille, sans amour. La vie m'apparaissait très simple,
très bonne et très facile. J'étais riche. J'avais du goût
pour tant de choses que je ne pouvais éprouver de
passion pour rien. C'est bon de vivre ! Je me réveillais
heureux, chaque jour, pour faire des choses qui me
plaisaient, et je me couchais satisfait, avec l'espérance
paisible du lendemain et de l'avenir sans souci.

J'avais[2] eu quelques maîtresses sans avoir jamais
senti mon cœur affolé par le désir ou mon âme
meurtrie d'amour après la possession. C'est bon de
vivre ainsi. C'est meilleur d'aimer, mais terrible.
Encore, ceux qui aiment comme tout le monde
doivent-ils éprouver un ardent bonheur, moindre que
le mien peut-être, car l'amour est venu me trouver
d'une incroyable manière.

Étant riche, je recherchais les meubles anciens et les
vieux objets[3] ; et souvent je pensais aux mains inconnues qui avaient palpé ces choses, aux yeux qui les
avaient admirées, aux cœurs qui les avaient aimées,
car on aime les choses ! Je restais souvent pendant des
heures, des heures et des heures, à regarder une petite
montre du siècle dernier. Elle était si mignonne, si
jolie, avec son émail et son or ciselé. Et elle marchait
encore comme au jour où une femme l'avait achetée
dans le ravissement de posséder ce fin bijou. Elle
n'avait point cessé de palpiter, de vivre sa vie de
mécanique, et elle continuait toujours son tic-tac
régulier, depuis un siècle passé. Qui donc l'avait
portée la première sur son sein dans la tiédeur des
étoffes, le cœur de la montre battant contre le cœur de
la femme ? Quelle main l'avait tenue au bout de ses

doigts un peu chauds, l'avait tournée, retournée, puis avait essuyé les bergers de porcelaine ternis une seconde par la moiteur de la peau ? Quels yeux avaient épié sur ce cadran fleuri l'heure attendue, l'heure chérie, l'heure divine ?

Comme j'aurais voulu la connaître, la voir, la femme qui avait choisi cet objet exquis et rare ! Elle est morte ! Je suis possédé par le désir des femmes d'autrefois ; j'aime, de loin, toutes celles qui ont aimé ! — L'histoire des tendresses passées m'emplit le cœur de regrets. Oh ! la beauté, les sourires, les caresses jeunes, les espérances ! Tout cela ne devrait-il pas être éternel !

Comme j'ai pleuré, pendant des nuits entières, sur les pauvres femmes de jadis, si belles, si tendres, si douces, dont les bras se sont ouverts pour le baiser et qui sont mortes ! Le baiser est immortel, lui ! Il va de lèvre en lèvre, de siècle en siècle, d'âge en âge. — Les hommes le recueillent, le donnent et meurent.

Le passé m'attire, le présent m'effraie parce que l'avenir c'est la mort. Je regrette tout ce qui s'est fait, je pleure tous[4] ceux qui ont vécu ; je voudrais arrêter le temps, arrêter l'heure. Mais elle va, elle va, elle passe, elle me prend de seconde en seconde un peu de moi pour le néant de demain. Et je ne revivrai jamais.

Adieu celles d'hier. Je vous aime.

Mais je ne suis pas à plaindre. Je l'ai trouvée, moi, celle que j'attendais ; et j'ai goûté par elle d'incroyables plaisirs.

Je rôdais dans Paris par un matin de soleil, l'âme en fête, le pied joyeux, regardant les boutiques avec cet intérêt vague du flâneur. Tout à coup, j'aperçus chez un marchand d'antiquités un meuble italien du XVII<sup>e</sup> siècle. Il était fort beau, fort rare. Je l'attribuai à un artiste vénitien du nom de Vitelli[5], qui fut célèbre à cette époque.

Puis je passai.

Pourquoi le souvenir de ce meuble me poursuivit-il avec tant de force que je revins sur mes pas ? Je

m'arrêtai de nouveau devant le magasin pour le revoir,
et je sentis qu'il me tentait.

Quelle singulière chose que la tentation ! On
regarde un objet et, peu à peu, il vous séduit, vous
trouble, vous envahit comme ferait un visage de
femme. Son charme entre en vous, charme étrange qui
vient de sa forme, de sa couleur, de sa physionomie de
chose ; et on l'aime déjà, on le désire, on le veut. Un
besoin de possession vous gagne, besoin doux
d'abord, comme timide, mais qui s'accroît, devient
violent, irrésistible.

Et les marchands semblent deviner à la flamme du
regard l'envie secrète et grandissante.

J'achetai ce meuble et je le fis porter chez moi tout
de suite. Je le plaçai dans ma chambre.

Oh ! je plains ceux qui ne connaissent pas cette lune
de miel du collectionneur avec le bibelot qu'il vient
d'acheter. On le caresse de l'œil et de la main comme
s'il était de chair ; on revient à tout moment près de
lui, on y pense toujours, où qu'on aille, quoi qu'on
fasse. Son souvenir aimé vous suit dans la rue, dans le
monde, partout ; et quand on rentre chez soi, avant
même d'avoir ôté ses gants et son chapeau, on va le
contempler[6] avec une tendresse d'amant.

Vraiment, pendant huit jours, j'adorai ce meuble.
J'ouvrais à chaque instant ses portes, ses tiroirs ; je le
maniais avec ravissement, goûtant toutes les joies
intimes de la possession.

Or, un soir, je m'aperçus, en tâtant l'épaisseur d'un
panneau, qu'il devait y avoir là une cachette. Mon
cœur se mit à battre, et je passai la nuit à chercher le
secret sans le pouvoir découvrir.

J'y parvins le lendemain en enfonçant une lame
dans une fente de la boiserie. Une planche glissa et
j'aperçus, étalée sur un fond de velours noir, une
merveilleuse chevelure de femme !

Oui, une chevelure, une énorme natte de cheveux
blonds, presque roux, qui avaient dû être coupés
contre la peau, et liés par une corde d'or.

Je demeurai stupéfait, tremblant, troublé ! Un

parfum presque insensible, si vieux qu'il semblait l'âme d'une odeur, s'envolait de ce tiroir mystérieux et de cette surprenante relique.

Je la pris, doucement, presque religieusement, et je la tirai de sa cachette. Aussitôt elle se déroula, répandant son flot doré qui tomba jusqu'à terre, épais et léger, souple et brillant comme la queue en feu d'une comète.

Une émotion étrange me saisit. Qu'était-ce que cela? Quand? comment? pourquoi ces cheveux avaient-ils été enfermés dans ce meuble? Quelle aventure, quel drame cachait ce souvenir?

Qui les avait coupés? un amant un jour d'adieu? un mari un jour de vengeance? ou bien celle qui les avait portés sur son front, un jour de désespoir?

Était-ce à l'heure d'entrer au cloître qu'on avait jeté là cette fortune d'amour, comme un gage laissé au monde des vivants? Était-ce à l'heure de la clouer dans la tombe, la jeune et belle morte, que celui qui l'adorait avait gardé la parure de sa tête, la seule chose qu'il pût conserver d'elle, la seule partie vivante de sa chair qui ne dût point pourrir, la seule qu'il pouvait aimer encore et caresser, et baiser dans ses rages de douleur?

N'était-ce point étrange que cette chevelure fût demeurée ainsi, alors qu'il ne restait plus une parcelle du corps dont elle était née?

Elle me coulait sur les doigts, me chatouillait la peau d'une caresse singulière, d'une caresse de morte. Je me sentais attendri comme si j'allais pleurer.

Je la gardai longtemps, longtemps en mes mains, puis il me sembla qu'elle m'agitait, comme si quelque chose de l'âme fût resté caché dedans. Et je la remis sur le velours terni par le temps, et je repoussai le tiroir, et je refermai le meuble, et je m'en allai par les rues pour rêver.

\*

J'allais devant moi, plein de tristesse, et aussi plein de trouble, de ce trouble qui vous reste au cœur après

un baiser d'amour. Il me semblait que j'avais vécu
autrefois déjà, que j'avais dû connaître cette femme.

Et les vers de Villon me montèrent aux lèvres, ainsi
qu'y monte un sanglot :

> Dictes-moy où, ne en quel pays
> Est Flora, la belle Romaine,
> Archipiada, ne Thaïs,
> Qui fut sa cousine germaine ?
> Echo parlant quand bruyt on maine
> Dessus rivière, ou sus estan ;
> Qui beauté eut plus [7] que humaine ?
> Mais où sont les neiges d'antan ?
> ..............................
> La royne blanche comme un lys
> Qui chantoit à voix de sereine,
> Berthe au grand pied, Bietris, Allys,
> Harembouges qui tint le Mayne,
> Et Jehanne la bonne Lorraine
> Que Anglais bruslèrent à Rouen ?
> Où sont-ils, Vierge souveraine ?
> Mais où sont les neiges d'antan [8] ?

Quand je rentrai chez moi, j'éprouvai un irrésistible
désir de revoir mon étrange trouvaille ; et je la repris,
et je sentis, en la touchant, un long frisson qui me
courut dans les membres.

Durant quelques jours cependant, je demeurai dans
mon état ordinaire, bien que la pensée vive de cette
chevelure ne me quittât plus.

Dès que je rentrais, il fallait que je la visse et que je
la maniasse. Je tournais la clef de l'armoire avec ce
frémissement qu'on a en ouvrant la porte de la bien-
aimée, car j'avais aux mains et au cœur un besoin
confus, singulier, continu, sensuel de tremper mes
doigts dans ce ruisseau charmant [9] de cheveux morts.

Puis, quand j'avais fini de la caresser, quand j'avais
refermé le meuble, je la sentais là toujours, comme si
elle eût été un être vivant, caché, prisonnier ; je la
sentais et je la désirais encore ; j'avais de nouveau le
besoin impérieux de la reprendre, de la palper, de
m'énerver jusqu'au malaise par ce contact froid,
glissant, irritant, affolant, délicieux.

Je vécus ainsi un mois ou deux, je ne sais plus. Elle m'obsédait, me hantait. J'étais heureux et torturé, comme dans une attente d'amour, comme après les aveux qui précèdent l'étreinte.

Je m'enfermais seul avec elle pour la sentir sur ma peau, pour enfoncer mes lèvres dedans, pour la baiser, la mordre. Je l'enroulais autour de mon visage, je la buvais, je noyais mes yeux dans son onde dorée afin de voir le jour blond, à travers.

Je l'aimais! Oui, je l'aimais. Je ne pouvais plus me passer d'elle, ni rester une heure sans la revoir.

Et j'attendais... j'attendais... quoi? Je ne le savais pas? — Elle.

Une nuit je me réveillai brusquement avec la pensée que je ne me trouvais pas seul dans ma chambre.

J'étais seul pourtant. Mais je ne pus me rendormir; et comme je m'agitais dans une fièvre d'insomnie, je me levai pour aller toucher la chevelure. Elle me parut plus douce que de coutume, plus animée. Les morts reviennent-ils? Les baisers dont je la réchauffais me faisaient défaillir de bonheur; et je l'emportai dans mon lit, et [10] je me couchai, en la pressant sur mes lèvres, comme une maîtresse qu'on va posséder.

Les morts reviennent! Elle est venue. Oui, je l'ai vue, je l'ai tenue, je l'ai eue, telle qu'elle était vivante autrefois, grande, blonde, grasse, les seins froids, la hanche en forme de lyre; et j'ai parcouru de mes caresses cette ligne ondulante et divine qui va de la gorge aux pieds en suivant toutes les courbes de la chair.

Oui, je l'ai eue, tous les jours, toutes les nuits. Elle est revenue, la Morte, la belle Morte, l'Adorable, la Mystérieuse, l'Inconnue, toutes les nuits.

Mon bonheur fut si grand, que je ne l'ai pu cacher. J'éprouvais près d'elle un ravissement surhumain, la joie profonde, inexplicable de posséder l'Insaisissable, l'Invisible, la Morte! Nul amant ne goûta des jouissances plus ardentes, plus terribles!

Je n'ai point su cacher mon bonheur. Je l'aimais si fort que je n'ai plus voulu la quitter. Je l'ai emportée avec moi toujours, partout. Je l'ai promenée par la ville comme ma femme, et conduite au théâtre en des loges grillées, comme ma maîtresse... Mais on l'a vue... on a deviné... on me l'a prise... Et on m'a jeté dans une prison, comme un malfaiteur. On l'a prise... Oh! misère!...

\*

Le manuscrit s'arrêtait là. Et soudain, comme je relevais sur le médecin des yeux effarés, un cri épouvantable, un hurlement de fureur impuissante et de désir exaspéré s'éleva dans l'asile.

— Écoutez-le, dit le docteur. Il faut doucher cinq fois par jour ce fou obscène. Il n'y a pas que le sergent Bertrand qui ait aimé les mortes [11].

Je balbutiai, ému d'étonnement, d'horreur et de pitié :

— Mais... cette chevelure... existe-t-elle réellement ?

Le médecin se leva, ouvrit une armoire pleine de fioles et d'instruments et il me jeta, à travers son cabinet, une longue fusée de cheveux blonds qui vola vers moi comme un oiseau d'or.

Je frémis en sentant sur mes mains son toucher caressant et léger. Et je restai le cœur battant de dégoût et d'envie, de dégoût comme au contact des objets traînés dans les crimes, d'envie comme devant la tentation d'une chose infâme et mystérieuse.

Le médecin reprit en haussant les épaules :

— L'esprit de l'homme est capable de tout.

# LE TIC [1]

Les dîneurs entraient lentement dans la grande salle de l'hôtel et s'asseyaient à leurs places. Les domestiques commencèrent le service tout doucement, pour permettre aux retardataires d'arriver et pour n'avoir point à rapporter les plats ; et les anciens baigneurs, les habitués, ceux dont la saison avançait, regardaient avec intérêt la porte chaque fois qu'elle s'ouvrait, avec le désir de voir paraître de nouveaux visages.

C'est là la grande distraction des villes d'eaux. On attend le dîner pour inspecter les arrivés du jour, pour deviner ce qu'ils sont, ce qu'ils font, ce qu'ils pensent. Un désir rôde dans notre esprit, le désir de rencontres agréables, de connaissances aimables, d'amours peut-être. Dans cette vie de coudoiements, les voisins, les inconnus, prennent une importance extrême. La curiosité est en éveil, la sympathie en attente, et la sociabilité en travail.

On a des antipathies d'une semaine et des amitiés d'un mois, on voit les gens avec des yeux différents, sous l'optique spéciale de la connaissance de ville d'eaux. On découvre aux hommes, subitement, dans une causerie d'une heure, le soir, après dîner, sous les arbres du parc où bouillonne la source guérisseuse, une intelligence supérieure et des mérites surprenants, et, un mois plus tard, on a complètement oublié ces nouveaux amis, si charmants aux premiers jours.

Là aussi se forment des liens durables et sérieux,

plus vite que partout ailleurs. On se voit tout le jour, on se connaît très vite ; et dans l'affection qui commence se mêle quelque chose de la douceur et de l'abandon des intimités anciennes. On garde plus tard le souvenir cher et attendri de ces premières heures d'amitié, le souvenir de ces premières causeries par qui se fait la découverte de l'âme, de ces premiers regards qui interrogent et répondent aux questions et aux pensées secrètes que la bouche ne dit point encore, le souvenir de cette première confiance cordiale, le souvenir de cette sensation charmante d'ouvrir son cœur à quelqu'un qui semble aussi vous ouvrir le sien.

Et la tristesse de la station de bains, la monotonie des jours tous pareils, rendent plus complète d'heure en heure cette éclosion d'affection.

★

Donc, ce soir-là, comme tous les soirs, nous attendions l'entrée de figures inconnues.

Il n'en vint que deux, mais très étranges, un[2] homme et une femme : le père et la fille. Ils me firent l'effet, tout de suite, de personnages d'Edgar Poe[3] ; et pourtant il y avait en eux un charme, un charme malheureux ; je me les représentai comme des victimes de la fatalité. L'homme était très grand et maigre, un peu voûté, avec des cheveux tout blancs, trop blancs pour sa physionomie jeune encore ; et il avait dans son allure et dans sa personne quelque chose de grave, cette tenue austère que gardent les protestants. La fille, âgée peut-être de vingt-quatre ou vingt-cinq ans, était petite, fort maigre aussi, fort pâle, avec un air las, fatigué, accablé. On rencontre ainsi des gens qui semblent trop faibles pour les besognes et les nécessités de la vie, trop faibles pour se remuer, pour marcher, pour faire tout ce que nous faisons tous les jours. Elle était assez jolie, cette enfant, d'une beauté diaphane d'apparition ; et elle mangeait avec une extrême lenteur, comme si elle eût été presque incapable de mouvoir ses bras.

C'était elle assurément qui venait prendre les eaux.

Ils se trouvèrent en face de moi, de l'autre côté de la table ; et je remarquai immédiatement que le père avait un tic nerveux fort singulier.

Chaque fois qu'il voulait atteindre un objet, sa main décrivait un crochet rapide, une sorte de zigzag affolé, avant de parvenir à toucher ce qu'elle cherchait. Au bout de quelques instants ce mouvement me fatigua tellement que je détournais la [4] tête pour ne pas le voir.

Je remarquai aussi que la jeune fille gardait, pour manger, un gant à la main gauche.

Après dîner, j'allai faire un tour dans le parc de l'établissement thermal. Cela se passait dans une petite station d'Auvergne, Châtelguyon [5], cachée dans une gorge, au pied de la haute montagne, de cette montagne d'où s'écoulent tant de sources bouillantes, venues du foyer profond des anciens volcans. Là-bas, au-dessus de nous, les dômes, cratères éteints, levaient leurs têtes tronquées au-dessus de la longue chaîne. Car Châtelguyon est au commencement du pays des Dômes.

Plus loin s'étend le pays des pics ; et, plus loin, encore, le pays des plombs.

Le puy de Dôme est le plus haut des dômes, le pic du Sancy le plus élevé des pics, et le plomb du Cantal le plus grand des plombs.

Il faisait très chaud ce soir-là. J'allais de long en large dans l'allée ombreuse, écoutant, sur le mamelon qui domine le parc, la musique du casino jeter ses premières chansons.

Et j'aperçus, venant vers moi, d'un pas lent, le père et la fille. Je les saluai, comme on salue dans les villes d'eaux ses compagnons d'hôtel ; et l'homme, s'arrêtant aussitôt, me demanda :

— Ne pourriez-vous, monsieur, nous indiquer une promenade courte, facile et jolie si c'est possible ; et excusez mon indiscrétion.

Je m'offris à les conduire au vallon où coule la

mince rivière, vallon profond, gorge étroite entre deux grandes pentes rocheuses et boisées[6].

Ils acceptèrent.

Et nous parlâmes, naturellement, de la vertu des eaux.

— Oh, disait-il, ma fille a une étrange maladie, dont on ignore le siège. Elle souffre d'accidents nerveux incompréhensibles. Tantôt on la croit atteinte d'une maladie de cœur, tantôt d'une maladie de foie, tantôt d'une maladie de la moelle épinière. Aujourd'hui on attribue à l'estomac, qui est la grande chaudière et le grand régulateur du corps, ce mal-Protée aux mille formes et aux mille atteintes. Voilà pourquoi nous sommes ici[7]. Moi je crois plutôt que ce sont les nerfs. En tout cas, c'est bien triste.

Le souvenir me vint aussitôt du tic violent de sa main, et je lui demandai :

— Mais n'est-ce pas là de l'hérédité ? N'avez-vous pas vous-même les nerfs un peu malades ?

Il répondit tranquillement :

— Moi ?... Mais non... j'ai toujours eu les nerfs très calmes...

Puis soudain, après un silence, il reprit :

— Ah ! vous faites allusion au spasme de ma main chaque fois que je veux prendre quelque chose ? Cela provient d'une émotion terrible que j'ai eue. Figurez-vous que cette enfant a été enterrée vivante !

Je ne trouvai rien à dire qu'un « Ah ! » de surprise et d'émotion.

*

Il reprit : « Voici l'aventure. Elle est simple. Juliette avait depuis quelque temps de graves accidents au cœur. Nous croyions à une maladie de cet organe, et nous nous attendions à tout.

On la rapporta un jour froide, inanimée, morte. Elle venait de tomber dans le jardin. Le médecin constata le décès. Je veillai près d'elle un jour et deux nuits ; je la mis moi-même dans le cercueil, que j'accompa-

gnai jusqu'au cimetière où il fut déposé dans notre
caveau de famille. C'était en pleine campagne, en
Lorraine.

J'avais voulu qu'elle fût ensevelie avec ses bijoux,
bracelets, colliers, bagues, tous cadeaux qu'elle tenait
de moi, et avec sa première robe de bal.

Vous devez penser quel était l'état de mon cœur et
l'état de mon âme en rentrant chez moi. Je n'avais
qu'elle, ma femme étant morte depuis longtemps. Je
rentrai seul, à moitié fou, exténué, dans ma chambre,
et je tombai dans mon fauteuil, sans pensée, sans force
maintenant pour faire un mouvement. Je n'étais plus
qu'une machine douloureuse, vibrante, un écorché ;
mon âme ressemblait à une plaie vive.

Mon vieux valet de chambre, Prosper, qui m'avait
aidé à déposer Juliette dans son cercueil, et à la parer
pour ce dernier sommeil, entra sans bruit et
demanda :

— Monsieur veut-il prendre quelque chose ?

Je fis « non » de la tête sans répondre.

Il reprit :

— Monsieur a tort. Il arrivera du mal à monsieur.
Monsieur veut-il alors que je le mette au lit ?

Je prononçai :

— Non, laisse-moi.

Et il se retira.

Combien s'écoula-t-il d'heures, je n'en sais rien.
Oh ! quelle nuit ! quelle nuit ! Il faisait froid ; mon feu
s'était éteint dans la grande cheminée ; et le vent, un
vent d'hiver, un vent glacé, un grand vent de pleine
gelée, heurtait les fenêtres avec un bruit sinistre et
régulier.

Combien s'écoula-t-il d'heures ? J'étais là, sans
dormir, affaissé, accablé, les yeux ouverts, les jambes
allongées, le corps mou, mort, et l'esprit engourdi de
désespoir. Tout à coup, la grande cloche de la porte
d'entrée, la grande cloche du vestibule tinta.

J'eus une telle secousse que mon siège craqua sous
moi. Le son grave et pesant vibrait dans le château
vide comme dans un caveau. Je me retournai pour voir

l'heure à mon horloge. Il était deux heures du matin. Qui pouvait venir à cette heure ?

Et brusquement la cloche sonna de nouveau deux coups. Les domestiques, sans doute, n'osaient pas se lever. Je pris une bougie et je descendis. Je faillis demander :

— Qui est là ?

Puis j'eus honte de cette faiblesse ; et je tirai lentement les gros verrous. Mon cœur battait ; j'avais peur. J'ouvris la porte brusquement et j'aperçus dans l'ombre une forme blanche dressée, quelque chose comme un fantôme.

Je reculai, perclus d'angoisse, balbutiant :

— Qui... qui... qui êtes-vous ?

Une voix répondit :

— C'est moi, père.

C'était ma fille.

Certes, je me crus fou ; et je m'en allais à reculons devant ce spectre qui entrait ; je m'en allais, faisant de la main, comme pour le chasser, ce geste que vous avez vu, tout à l'heure ; ce geste qui ne m'a plus quitté.

L'apparition reprit :

— N'aie pas peur, papa ; je n'étais pas morte. On a voulu me voler mes bagues, et on m'a coupé un doigt ; le sang s'est mis à couler, et cela m'a ranimée.

Et je m'aperçus, en effet, qu'elle était couverte de sang.

Je tombai sur les genoux, étouffant, sanglotant, râlant.

Puis, quand j'eus ressaisi un peu ma pensée, tellement éperdu encore que je comprenais mal le bonheur terrible qui m'arrivait, je la fis monter dans ma chambre, je la fis asseoir dans mon fauteuil ; puis je sonnai Prosper à coups précipités pour qu'il rallumât le feu, qu'il préparât à boire et allât chercher des secours.

L'homme entra, regarda ma fille, ouvrit la bouche dans un spasme d'épouvante et d'horreur, puis tomba roide mort sur le dos.

C'était lui qui avait ouvert le caveau, qui avait mutilé, puis abandonné mon enfant car il ne pouvait effacer les traces du vol : il n'avait même pas pris soin de remettre le cercueil dans sa case, sûr d'ailleurs de n'être pas soupçonné par moi, dont il avait toute la confiance.

Vous voyez, monsieur, que nous sommes des gens bien malheureux. »

*

Il se tut.

La nuit était venue, enveloppant le petit vallon solitaire et triste, et une sorte de peur mystérieuse m'étreignait à me sentir auprès de ces êtres étranges, de cette morte revenue et de ce père aux gestes effrayants.

Je ne trouvais rien à dire. Je murmurai :

— Quelle horrible chose !...

Puis, après une minute, j'ajoutai :

— Si nous rentrions ? Il me semble qu'il fait frais.

Et nous retournâmes vers l'hôtel.

# PROMENADE[1]

Quand le père Leras, teneur de livres chez MM. Labuze et C$^{ie}$, sortit du magasin, il demeura quelques instants ébloui par l'éclat du soleil couchant. Il avait travaillé tout le jour sous la lumière jaune du bec de gaz, au fond de l'arrière-boutique, sur la cour étroite et profonde comme un puits. La petite pièce où depuis quarante ans il passait ses journées était si sombre que, même dans le fort de l'été, c'est à peine si on pouvait se dispenser de l'éclairer de onze heures à trois heures.

Il y faisait toujours humide et froid ; et les émanations de cette sorte de fosse où s'ouvrait la fenêtre entraient dans la pièce obscure, l'emplissaient d'une odeur moisie et d'une puanteur d'égout.

M. Leras depuis quarante ans arrivait, chaque matin, à huit heures, dans cette prison ; et il y demeurait jusqu'à sept heures du soir, courbé sur ses livres, écrivant avec une application de bon employé.

Il gagnait maintenant trois mille francs par an, ayant débuté à quinze cents francs. Il était demeuré célibataire, ses moyens ne lui permettant pas de prendre femme. Et n'ayant jamais joui de rien, il ne désirait pas grand-chose. De temps en temps, cependant, las de sa besogne monotone et continue, il formulait un vœu platonique : « Cristi, si j'avais cinq mille livres de rentes, je me la coulerais douce. »

Il ne se l'était jamais coulée douce, d'ailleurs,

n'ayant jamais eu que ses appointements mensuels.

Sa vie s'était passée sans événements, sans émotions et presque sans espérances. La faculté des rêves, que chacun porte en soi, ne s'était jamais développée dans la médiocrité de ses ambitions.

Il était entré à vingt et un ans chez MM. Labuze et C$^{ie}$. Et il n'en était plus sorti.

En 1856, il avait perdu son père, puis sa mère en 1859. Et depuis lors, rien qu'un déménagement en 1868, son propriétaire ayant voulu l'augmenter.

Tous les jours son réveille-matin, à six heures précises, le faisait sauter du lit, par un effroyable bruit de chaîne qu'on déroule.

Deux fois, cependant, cette mécanique s'était détraquée, en 1866 et en 1874, sans qu'il eût jamais su pourquoi. Il s'habillait, faisait son lit, balayait sa chambre, époussetait son fauteuil et le dessus de sa commode. Toutes ces besognes lui demandaient une heure et demie.

Puis il sortait, achetait un croissant à la boulangerie Lahure, dont il avait connu onze patrons différents sans qu'elle perdît son nom, et il se mettait en route en mangeant ce petit pain.

Son existence tout entière s'était donc accomplie dans l'étroit bureau [2] sombre tapissé du même papier. Il y était entré jeune, comme aide de M. Brument et avec le désir de le remplacer.

Il l'avait remplacé et n'attendait plus rien.

Toute cette moisson de souvenirs que font les autres hommes dans le courant de leur vie, les événements imprévus, les amours douces ou tragiques, les voyages aventureux, tous les hasards d'une existence libre lui étaient demeurés étrangers.

Les jours, les semaines, les mois, les saisons, les années s'étaient ressemblé. À [3] la même heure, chaque jour, il se levait, partait, arrivait au bureau, déjeunait, s'en allait, dînait et se couchait, sans que rien eût jamais interrompu la régulière monotonie des mêmes actes, des mêmes faits, et des mêmes pensées.

Autrefois il regardait sa moustache blonde et ses

cheveux bouclés dans la petite glace ronde laissée par
son prédécesseur. Il contemplait maintenant, chaque
soir, avant de partir, sa moustache blanche et son
front chauve dans la même glace. Quarante ans
s'étaient écoulés, longs et rapides, vides comme un
jour de tristesse, et pareils comme les heures d'une
mauvaise nuit! Quarante ans dont il ne restait rien,
pas même un souvenir, pas même un malheur, depuis
la mort de ses parents[4]. Rien.

Ce jour-là, M. Leras demeura ébloui, sur la porte de
la rue, par l'éclat du soleil couchant; et, au lieu de
rentrer chez lui, il eut l'idée de faire un petit tour
avant dîner, ce qui lui arrivait quatre ou cinq fois par
an.

Il gagna les boulevards où coulait un flot de monde
sous les arbres reverdis. C'était un soir de printemps,
un de ces premiers soirs chauds et mous qui troublent
les cœurs d'une ivresse de vie.

M. Leras allait de son pas sautillant de vieux[5]; il
allait avec une gaieté dans l'œil, heureux de la joie
universelle et de la tiédeur de l'air.

Il gagna les Champs-Élysées et continua de marcher, ranimé par les effluves de jeunesse[6] qui passaient dans les brises.

Le ciel entier flambait; et l'Arc de Triomphe
découpait sa masse noire sur le fond éclatant de
l'horizon, comme un géant debout dans un incendie.
Quand il fut arrivé auprès du monstrueux monument,
le vieux teneur de livres sentit qu'il avait faim, et il
entra chez un marchand de vin pour[7] dîner.

On lui servit devant la boutique, sur le trottoir, un
pied de mouton-poulette, une salade et des asperges;
et M. Leras fit le meilleur dîner qu'il eût fait depuis
longtemps. Il arrosa son fromage de Brie d'une demi-
bouteille de bordeaux fin; puis il but une tasse de
café, ce qui lui arrivait rarement, et ensuite un petit
verre de fine champagne.

Quand il eut payé, il se sentit tout gaillard, tout
guilleret, un peu troublé même. Et il se dit : « Voilà
une bonne soirée. Je vais continuer ma promenade

jusqu'à l'entrée du bois de Boulogne. Ça me fera du bien. »

Il repartit. Un vieil air, que chantait autrefois une de ses voisines, lui revenait obstinément dans la tête :

> Quand le bois reverdit,
> Mon amoureux me dit :
> Viens respirer, ma belle,
> Sous la tonnelle [8].

Il le fredonnait sans fin, le recommençait toujours. La nuit était descendue sur Paris, une nuit sans vent, une nuit d'étuve. M. Leras suivait l'avenue du Bois-de-Boulogne et regardait passer les fiacres. Ils arrivaient, avec leurs yeux brillants, l'un derrière l'autre, laissant voir une seconde un couple enlacé, la femme en robe claire et l'homme vêtu de noir.

C'était une longue procession d'amoureux, promenés sous le ciel étoilé et brûlant. Il en venait toujours, toujours. Ils passaient, passaient, allongés dans les voitures, muets, serrés l'un contre l'autre, perdus dans l'hallucination, dans l'émotion du désir, dans le frémissement de l'étreinte prochaine. L'ombre chaude semblait pleine de baisers qui voletaient, flottaient. Une sensation de tendresse alanguissait l'air, le faisait plus étouffant. Tous ces gens enlacés, tous ces gens grisés de la même attente, de la même pensée, faisaient courir une fièvre autour d'eux. Toutes ces voitures, pleines de caresses, jetaient sur leur passage comme une émanation subtile et troublante.

M. Leras, un peu las à la fin de marcher, s'assit sur un banc pour regarder défiler ces fiacres chargés d'amour. Et, presque aussitôt, une femme arriva près de lui et prit place à son côté.

— Bonjour, mon petit homme, dit-elle.

Il ne répondit point. Elle reprit :

— Laisse-toi aimer, mon chéri ; tu verras que je suis bien gentille.

Il prononça :

— Vous vous trompez, madame.

Elle passa un bras sous le sien :

— Allons, ne fais pas la bête, écoute...

Il s'était levé, et il s'éloigna, le cœur serré.

Cent pas plus loin, une autre femme l'abordait :

— Voulez-vous [9] vous asseoir un moment près de moi, mon joli garçon ?

Il lui dit :

— Pourquoi faites-vous ce métier-là ?

Elle se planta devant lui, et la voix changée, rauque, méchante :

— Nom de Dieu, ce [10] n'est toujours pas pour mon plaisir !

Il insista d'une voix douce :

— Alors, qu'est-ce qui vous pousse ?

Elle grogna :

— Faut bien qu'on vive, c'te malice.

Et elle s'en alla en chantonnant.

M. Leras demeurait effaré. D'autres femmes passaient près de lui, l'appelaient, l'invitaient.

Il lui semblait que [11] quelque chose de noir s'étendait sur sa tête, quelque chose de navrant.

Et il s'assit de nouveau sur un banc. Les voitures couraient toujours [12].

— J'aurais mieux fait de ne pas venir ici, pensa-t-il, me voilà tout chose, tout dérangé.

Il se mit à penser à tout cet amour, vénal ou passionné, à tous ces baisers, payés ou libres, qui défilaient devant lui.

L'amour ! il ne le connaissait guère. Il n'avait eu dans sa vie que deux ou trois femmes, par hasard, par surprise, ses moyens ne lui permettant aucun extra. Et il songeait à cette vie qu'il avait menée, si différente de la vie de tous, à cette vie si sombre, si morne, si plate, si vide.

Il y a des êtres qui n'ont vraiment pas de chance. Et tout d'un coup, comme si un voile épais se fût déchiré, il aperçut la misère, l'infinie, la monotone misère de son existence : la misère passée, la misère présente, la misère future : les derniers jours pareils aux premiers, sans rien devant lui, rien derrière lui, rien autour de lui, rien dans le cœur, rien nulle part.

Le défilé des voitures allait toujours. Toujours il voyait paraître et disparaître, dans le rapide passage du fiacre découvert, les deux êtres silencieux et enlacés. Il lui semblait que l'humanité tout entière défilait devant lui, grise de joie, de plaisir, de bonheur. Et il était seul à la regarder, seul, tout à fait seul. Il serait encore seul demain, seul toujours, seul comme personne n'est seul.

Il se leva, fit quelques pas, et brusquement fatigué, comme s'il venait d'accomplir un[13] long voyage à pied, il se rassit sur le banc suivant.

Qu'attendait-il? Qu'espérait-il? Rien. Il pensait qu'il doit être bon, quand on est vieux, de trouver, en rentrant au logis, des petits enfants qui babillent. Vieillir est doux quand on est entouré de ces êtres qui vous doivent la vie, qui vous aiment, vous caressent, vous disent ces mots charmants et niais qui réchauffent le cœur et consolent de tout.

Et, songeant à sa chambre vide, à sa petite chambre propre et triste, où jamais personne n'entrait que lui, une sensation de détresse lui étreignit l'âme. Elle lui apparut, cette chambre, plus lamentable encore que son petit bureau.

Personne n'y venait; personne n'y parlait jamais. Elle était morte, muette, sans écho de voix humaine. On dirait que les murs gardent quelque chose des gens qui vivent dedans, quelque chose de leur allure, de leur figure, de leurs paroles. Les maisons habitées par des familles heureuses sont plus gaies que les demeures des misérables. Sa chambre était vide de souvenirs, comme sa vie. Et la pensée de rentrer dans cette pièce, tout seul, de se coucher dans son lit, de refaire tous ses mouvements et toutes ses besognes de chaque soir l'épouvanta. Et, comme pour l'éloigner davantage de ce logis sinistre et du moment où il faudrait[14] y revenir, il se leva et, rencontrant soudain la première allée du bois, il entra dans un taillis pour s'asseoir sur l'herbe...

Il entendait autour de lui, au-dessus de lui, partout, une rumeur confuse, immense, continue, faite de bruits innombrables et différents, une rumeur sourde, proche, lointaine, une vague et énorme palpitation de vie : le souffle de Paris, respirant comme un être colossal.

. . . . . . . . . . . . . . . . . . . . . . . . . . . . . . . . . . . . . . . . . . . . .

Le soleil déjà haut versait un flot de [15] lumière sur le bois de Boulogne. Quelques voitures commençaient à circuler ; et les cavaliers arrivaient gaiement.

Un couple allait au pas dans une allée déserte. Tout à coup, la jeune femme, levant les yeux, aperçut dans les branches quelque chose de brun ; elle leva la main, étonnée, inquiète :

— Regardez... qu'est-ce que c'est ?

Puis, poussant un cri, elle se laissa tomber dans les bras de son compagnon qui dut la déposer à terre.

Les gardes, appelés bientôt, décrochèrent un vieux homme pendu au moyen de ses bretelles.

On constata que le décès remontait à la veille au soir. Les papiers trouvés sur lui révélèrent qu'il était teneur de livres chez MM. Labuze et Cie et qu'il se nommait Leras.

On attribua la mort à un suicide dont on ne put soupçonner les causes. Peut-être un accès subit de folie ?

# LA PEUR [1]

Le train filait, à toute vapeur, dans les ténèbres.

Je me trouvais seul, en face d'un vieux monsieur qui regardait par la portière. On sentait fortement le phénol dans ce wagon du P.-L.-M., venu sans doute de Marseille.

C'était par une nuit sans lune, sans air, brûlante. On ne voyait point d'étoiles, et le souffle du train lancé nous jetait à la figure quelque chose de chaud, de mou, d'accablant, d'irrespirable.

Partis de Paris depuis trois heures, nous allions vers le centre de la France sans rien voir des pays traversés.

Ce fut tout à coup comme une apparition fantastique. Autour d'un grand feu, dans un bois, deux hommes étaient debout.

Nous vîmes cela pendant une seconde : c'était, nous sembla-t-il, deux misérables, en haillons, rouges dans la lueur éclatante du foyer, avec leurs faces barbues tournées vers nous, et autour d'eux, comme un décor de drame les arbres verts, d'un vert clair et luisant, les troncs frappés par le vif reflet de la flamme, le feuillage traversé, pénétré, mouillé par la lumière qui coulait dedans.

Puis tout redevint noir de nouveau.

Certes, ce fut une vision fort étrange ! Que faisaient-ils dans cette forêt, ces deux rôdeurs ? Pourquoi ce feu dans cette nuit étouffante ?

Mon voisin tira sa montre et me dit :

« Il est juste minuit, monsieur, nous venons de voir une singulière chose. »

J'en convins et nous commençâmes à causer, à chercher ce que pouvaient être ces personnages : des malfaiteurs qui brûlaient des preuves ou des sorciers qui préparaient un philtre ? On n'allume pas un feu pareil à minuit, en plein été, dans une forêt, pour cuire la soupe ? Que faisaient-ils donc ?

Nous ne pûmes rien imaginer de vraisemblable.

Et mon voisin se mit à parler.

C'était un vieil homme dont je ne parvins point à déterminer la profession. Un original assurément, fort instruit, et qui semblait peut-être un peu détraqué.

Mais sait-on quels sont les sages et quels sont les fous, dans cette vie où la raison devrait souvent s'appeler sottise et la folie s'appeler génie ?

Il disait :

— Je suis content d'avoir vu cela. J'ai éprouvé pendant quelques minutes une sensation disparue !

Comme la terre devait être troublante autrefois, quand elle était si mystérieuse ! À mesure qu'on lève les voiles de l'inconnu, on dépeuple l'imagination des hommes. Vous ne trouvez pas, monsieur, que la nuit est bien vide et d'un noir bien vulgaire depuis qu'elle n'a plus d'apparitions.

On se dit : « Plus de fantastique, plus de croyances étranges, tout l'inexpliqué est explicable. Le surnaturel baisse comme un lac qu'un canal épuise ; la science, de jour en jour, recule les limites du merveilleux. »

Eh bien, moi, monsieur, j'appartiens à la vieille race qui aime à croire. J'appartiens à la vieille race naïve accoutumée à ne pas comprendre, à ne pas chercher, à ne pas savoir, faite aux mystères environnants et qui se refuse à la simple et nette vérité.

Oui, monsieur, on a dépeuplé l'imagination en supprimant l'invisible. Notre terre m'apparaît aujourd'hui comme un monde abandonné, vide et nu. Les croyances sont parties qui la rendaient poétique.

Quand je sors la nuit, comme je voudrais frissonner

de cette angoisse qui fait se signer les vieilles femmes le long des murs des cimetières et se sauver les derniers superstitieux devant les vapeurs étranges des marais et les fantasques feux follets! Comme je voudrais croire à ce quelque chose de vague et de terrifiant qu'on s'imaginait sentir passer dans l'ombre!

Comme l'obscurité des soirs devait être sombre, terrible autrefois, quand elle était pleine d'êtres fabuleux, inconnus, rôdeurs, méchants, dont on ne pouvait deviner les formes, dont l'appréhension glaçait le cœur, dont la puissance occulte passait les bornes de notre pensée, et dont l'atteinte était inévitable!

Avec le surnaturel, la vraie peur a disparu de la terre, car on n'a vraiment peur que de ce qu'on ne comprend pas. Les dangers visibles peuvent émouvoir, troubler, effrayer. Qu'est cela auprès de la convulsion que donne à l'âme la pensée qu'on va rencontrer un spectre errant, qu'on va subir l'étreinte d'un mort, qu'on va voir accourir une de ces bêtes effroyables qu'inventa l'épouvante des hommes? Les ténèbres me semblent claires depuis qu'elles ne sont plus hantées.

Et la preuve de cela, c'est que si nous nous trouvions seuls tout à coup dans ce bois, nous serions poursuivis par l'image des deux êtres singuliers qui viennent de nous apparaître dans l'éclair de leur foyer, bien plus que par l'appréhension d'un danger quelconque et réel.

\*

Il répéta : « On n'a vraiment peur que de ce qu'on ne comprend pas. »

Et tout à coup un souvenir me vint, le souvenir d'une histoire que nous conta Tourgueneff[2], un dimanche, chez Gustave Flaubert.

L'a-t-il écrite quelque part, je n'en sais rien.

Personne plus que le grand romancier russe ne sut faire passer dans l'âme ce frisson de l'inconnu voilé,

et, dans la demi-lumière d'un conte étrange, laisser
entrevoir tout un monde de choses inquiétantes,
incertaines, menaçantes.

Avec lui, on la sent bien, la peur vague de
l'Invisible, la peur de l'inconnu qui est derrière le
mur, derrière la porte, derrière la vie apparente. Avec
lui, nous sommes brusquement traversés par des
lumières douteuses, qui éclairent seulement assez
pour augmenter notre angoisse.

Il semble nous montrer parfois la signification de
coïncidences bizarres, de rapprochements inattendus
de circonstances en apparence fortuites, mais que
guiderait une volonté cachée et sournoise. On croit
sentir, avec lui, un fil imperceptible qui nous guide
d'une façon mystérieuse à travers la vie, comme à
travers un rêve nébuleux dont le sens nous échappe
sans cesse.

Il n'entre point hardiment dans le surnaturel,
comme Edgar Poe ou Hoffmann[3]; il raconte des
histoires simples où se mêle seulement quelque chose[4]
d'un peu vague et d'un peu troublant.

Il nous dit aussi, ce jour-là : « On n'a vrai...ent peur
que de ce qu'on ne comprend point. »

Il était assis, ou plutôt affaissé dans un grand
fauteuil, les bras pendants, les jambes allongées et
molles, la tête toute blanche, noyé dans ce grand flot
de barbe et de cheveux d'argent qui lui donnait
l'aspect d'un Père éternel ou d'un fleuve d'Ovide.

Il parlait lentement, avec une certaine paresse qui
donnait du charme aux phrases et une certaine
hésitation de la langue un peu lourde qui soulignait la
justesse colorée des mots. Son œil pâle, grand ouvert,
reflétait, comme un œil d'enfant, toutes les émotions
de sa pensée.

Il nous raconta ceci : Il chassait, étant jeune
homme, dans une forêt de Russie[5]. Il avait marché
tout le jour et il arriva, vers la fin de l'après-midi, sur
le bord d'une calme rivière. Elle coulait sous les
arbres, dans les arbres, pleine d'herbes flottantes,
profonde, froide et claire.

Un besoin impérieux saisit le chasseur de se jeter dans cette eau transparente. Il se dévêtit et s'élança dans le courant. C'était un très grand et très fort garçon, vigoureux et hardi nageur. Il se laissait flotter doucement, l'âme tranquille, frôlé par les herbes et les racines, heureux de sentir contre sa chair le glissement léger des lianes. Tout à coup une main se posa sur son épaule.

Il se retourna d'une secousse et il aperçut un être effroyable qui le regardait avidement.

Cela ressemblait à une femme ou à une guenon. Elle avait une figure énorme, plissée, grimaçante et qui riait. Deux choses innommables, deux mamelles sans doute, flottaient devant elle, et des cheveux démesurés, mêlés, roussis par le soleil, entouraient son visage et flottaient sur son dos.

Tourgueneff se sentit traversé par la peur hideuse, la peur glaciale des choses surnaturelles. Sans réfléchir, sans songer, sans comprendre, il se mit à nager éperdument vers la rive. Mais le monstre nageait plus vite encore et il lui touchait le cou, le dos, les jambes, avec des petits ricanements de joie. Le jeune homme, fou d'épouvante, toucha la berge, enfin, et s'élança de toute sa vitesse à travers le bois, sans même penser à retrouver ses habits et son fusil.

L'être effroyable le suivit, courant aussi vite que lui, et grognant toujours. Le fuyard, à bout de forces et perclus par la terreur, allait tomber, quand un enfant qui gardait des chèvres accourut, armé d'un fouet ; il se mit à frapper l'affreuse bête humaine, qui se sauva en poussant des cris de douleur. Et Tourgueneff la vit disparaître dans le feuillage, pareille à une femelle de gorille.

C'était une folle, qui vivait depuis plus de trente ans dans ce bois, de la charité des bergers, et qui passait la moitié de ses jours à nager dans la rivière.

Le grand écrivain russe ajouta : « Je n'ai jamais eu si peur de ma vie, parce que je n'ai pas compris ce que pouvait être ce monstre. »

✦

Mon compagnon, à qui j'avais dit cette aventure, reprit :

— Oui, on n'a peur que de ce qu'on ne comprend pas. On n'éprouve vraiment l'affreuse convulsion de l'âme, qui s'appelle l'épouvante que lorsque se mêle à la peur un peu de la terreur superstitieuse des siècles passés. Moi, j'ai ressenti cette épouvante dans toute son horreur, et cela pour une chose si simple, si bête que j'ose à peine la dire.

Je voyageais en Bretagne, tout seul, à pied. J'avais parcouru le Finistère, les landes désolées, les terres nues où ne pousse que l'ajonc, à côté des grandes pierres sacrées, des pierres hantées. J'avais visité la veille la sinistre pointe du Raz, ce bout du vieux monde, où se battent éternellement deux océans, l'Atlantique et la Manche ; j'avais l'esprit plein de légendes, d'histoires lues ou racontées sur cette terre des croyances et des superstitions.

Et j'allais de Penmarch à Pont-l'Abbé, de nuit. Connaissez-vous Penmarch ? Un rivage plat, tout plat, tout bas, plus bas que la mer, semble-t-il. On la voit partout, menaçante et grise, cette mer pleine d'écueils baveux comme des bêtes furieuses.

J'avais dîné dans un cabaret de pêcheurs, et je marchais maintenant sur la route droite, entre deux landes. Il faisait très noir.

De temps en temps, une pierre druidique, pareille à un fantôme debout, semblait me regarder passer, et peu à peu entrait en moi une appréhension vague ; de quoi ? Je n'en savais rien. Il est des soirs où on se croit frôlé par des esprits, où l'âme frissonne sans raison, où le cœur bat sous la crainte confuse de ce quelque chose d'invisible que je regrette, moi.

Elle me semblait longue, cette route, longue et vide interminablement.

Aucun bruit que le ronflement des flots, là-bas, derrière moi, et parfois ce bruit monotone et menaçant semblait tout près, si près que je les croyais sur mes

talons, courant par la plaine avec leur front d'écume,
et que j'avais envie de me sauver, de fuir à toutes
jambes devant eux.

Le vent, un vent bas soufflant par rafales, faisait
siffler les ajoncs autour de moi. Et bien que j'allasse
très vite j'avais froid dans les bras et dans les jambes,
un vilain froid d'angoisse.

Oh ! comme j'aurais voulu rencontrer quelqu'un,
parler à quelqu'un. Il faisait si noir que je distinguais à
peine la route, maintenant.

Et tout à coup j'entendis devant moi, très loin, un
roulement. Je pensai : « Tiens, une voiture. » Puis je
n'entendis plus rien.

Au bout d'une minute je perçus distinctement le
même bruit, plus proche.

Je ne voyais aucune lumière cependant ; mais je me
dis : « Ils n'ont pas de lanterne. Quoi d'étonnant dans
ce pays sauvage ! »

Le bruit s'arrêta encore, puis reprit. Il était trop
grêle pour que ce fût une charrette ; et je n'entendais
point d'ailleurs le trot du cheval, ce qui m'étonnait,
car la nuit était calme.

Je cherchais : « Qu'est-ce que cela ? » Il approchait
toujours ; et brusquement une crainte confuse, stupide, incompréhensible me saisit. — Qu'est-ce que
cela ?

Il approchait très vite, très vite ! Certes, je n'entendais rien qu'une roue — aucun battement de fers ou
de pieds — rien. — Qu'était-ce que cela ?

Il était tout près, tout près. Je me jetai dans un fossé
par un mouvement de peur instinctive, et je vis passer,
contre moi, une brouette, qui courait... toute seule,
personne ne la poussant... Oui... une brouette... toute
seule !...

Mon cœur se mit à bondir si violemment que je
m'affaissai sur l'herbe, et j'écoutais le roulement de la
roue qui s'éloignait, qui s'en allait vers la mer. Et je
n'osais plus me lever, ni marcher, ni faire un mouvement ; car si elle était revenue, si elle m'avait poursuivi, je serais mort de terreur.

Je fus longtemps à me remettre, bien longtemps. Et je fis le reste du chemin avec une telle angoisse dans l'âme que le moindre bruit me coupait l'haleine.

Est-ce bête, dites ? Mais quelle peur !

En y réfléchissant, plus tard, j'ai compris ; un enfant, nu-pieds, la menait sans doute, cette brouette ; et moi, j'ai cherché la tête d'un homme à la hauteur ordinaire ! Comprenez-vous cela... quand on a déjà dans l'esprit un frisson de surnaturel... une brouette qui court... toute seule !... quelle peur !

★

Il se tut une seconde, puis reprit :

— Tenez, monsieur, nous assistons à un spectacle curieux et terrible : cette invasion du choléra[6] !

Vous sentez le phénol dont ces wagons sont empoisonnés, c'est qu'Il est là quelque part.

Il faut voir Toulon en ce moment. Allez, on sent bien qu'il est là, Lui. Et ce n'est pas la peur d'une maladie qui affole ces gens. Le choléra c'est autre chose, c'est l'Invisible, c'est un fléau d'autrefois, des temps passés, une sorte d'Esprit malfaisant, qui revient et qui nous étonne autant qu'il nous épouvante, car il appartient, semble-t-il, aux âges disparus.

Les médecins me font rire avec leur microbe. Ce n'est pas un insecte qui terrifie les hommes au point de les faire sauter par les fenêtres ; c'est le *choléra*, l'être inexprimable et terrible venu du fond de l'Orient.

Traversez Toulon. On danse dans les rues. Pourquoi danser en ces jours de mort ? On tire des feux d'artifices dans toute la campagne autour de la ville ; on allume des feux de joie ; des orchestres jouent des airs joyeux sur toutes les promenades publiques.

Pourquoi cette folie ? C'est qu'Il est là, c'est qu'on le brave, non pas le Microbe, mais le Choléra, et qu'on veut être crâne devant lui comme auprès d'un ennemi caché qui vous guette. C'est pour lui qu'on danse, qu'on rit, qu'on crie, qu'on allume ces feux, qu'on joue ces valses, pour lui, l'Esprit qui tue, et qu'on sent partout présent, invisible, menaçant, comme un de ces anciens génies du mal que conjuraient les prêtres barbares...

# LA  TOMBE[1]

Le dix-sept juillet mil huit cent quatre-vingt-trois, à
deux heures et demie du matin, le gardien du
cimetière de Béziers, qui habitait un petit pavillon au
bout du champ des morts, fut réveillé par les jappe-
ments de son chien enfermé dans la cuisine.

Il descendit aussitôt et vit que l'animal flairait sous
la porte en aboyant avec fureur, comme si quelque
vagabond eût rôdé autour de la maison. Le gardien
Vincent prit alors son fusil et sortit avec précaution.

Son chien partit en courant dans la direction de
l'allée du général Bonnet et s'arrêta net auprès du
monument de M$^{me}$ Tomoiseau.

Le gardien, avançant alors avec précaution, aperçut
bientôt une petite lumière du côté de l'allée Malen-
vers. Il se glissa entre les tombes et fut témoin d'un
acte horrible de profanation.

Un homme avait déterré le cadavre d'une jeune
femme ensevelie la veille, et il le tirait hors de la
tombe. Une petite lanterne sourde, posée sur un tas de
terre, éclairait cette scène hideuse.

Le gardien Vincent, s'étant élancé sur ce misérable,
le terrassa, lui lia les mains et le conduisit au poste de
police.

C'était un jeune avocat de la ville, riche, bien vu, du
nom de Courbataille.

Il fut jugé. Le ministère public rappela les actes
monstrueux du sergent Bertrand[2] et souleva l'audi-

toire. Des frissons d'indignation passaient dans la foule. Quand le magistrat s'assit, des cris éclatèrent : « À mort ! À mort ! » Le président eut grand-peine à faire rétablir le silence.

Puis il prononça d'un ton grave :

« Prévenu, qu'avez-vous à dire pour votre défense ? »

Courbataille, qui n'avait point voulu d'avocat, se leva. C'était un beau garçon, grand, brun, avec un visage ouvert, des traits énergiques, un œil hardi.

Des sifflets jaillirent du public.

Il ne se troubla pas, et se mit à parler d'une voix un peu voilée, un peu basse d'abord, mais qui s'affermit peu à peu.

« Monsieur le Président,

« Messieurs les Jurés,

« J'ai très peu de choses à dire. La femme dont j'ai violé la tombe avait été ma maîtresse. Je l'aimais.

« Je l'aimais, non point d'un amour sensuel, non point d'une simple tendresse d'âme et de cœur, mais d'un amour absolu, complet, d'une passion éperdue.

« Écoutez-moi.

« Quand je l'ai rencontrée pour la première fois, j'ai ressenti, en la voyant, une étrange sensation. Ce ne fut point de l'étonnement, ni de l'admiration, ce ne fut point ce qu'on appelle le coup de foudre, mais un sentiment de bien-être délicieux, comme si on m'eût plongé dans un bain tiède. Ses gestes me séduisaient, sa voix me ravissait, toute sa personne me faisait un plaisir infini à regarder. Il me semblait aussi que je la connaissais depuis longtemps, que je l'avais vue déjà. Elle portait en elle quelque chose de moi, en son esprit quelque chose de mon esprit. Elle m'apparaissait comme une réponse à un appel jeté par mon âme, à cet appel vague et continu que nous poussons vers l'Espérance durant tout le cours de notre vie. Quand je la connus un peu plus, la seule pensée de la revoir m'agitait d'un trouble exquis et profond ; le contact de sa main dans ma main était pour moi un tel délice que je n'en avais point imaginé de semblable auparavant, son sourire me versait dans les yeux une allégresse folle, me donnait envie de courir, de danser, de me rouler par terre.

« Elle devint donc ma maîtresse.

« Elle fut plus que cela, elle fut ma vie même. Je n'attendais plus rien sur la terre, je ne désirais rien, plus rien. Je n'enviais plus rien.

« Or, un soir, comme nous étions allés nous promener un peu loin le long de la rivière, la pluie nous surprit. Elle eut froid.

« Le lendemain, une fluxion de poitrine se déclara. Huit jours plus tard elle expirait.

« Pendant les heures d'agonie, l'étonnement, l'effarement m'empêchèrent de bien comprendre, de bien réfléchir. Quand elle fut morte, le désespoir brutal m'étourdit tellement que je n'avais plus de pensée. Je pleurais. Pendant toutes les horribles phases de l'ensevelissement ma douleur aiguë, furieuse, était encore une douleur de fou, une sorte de douleur sensuelle, physique.

« Puis quand elle fut partie, quand elle fut en terre, mon esprit redevint net tout d'un coup et je passai par toute une suite de souffrances morales si épouvantables que l'amour même qu'elle m'avait donné était cher à ce prix-là.

« Alors entra en moi cette idée fixe : « Je ne la reverrai plus. » Quand on réfléchit à cela pendant un jour tout entier, une démence vous emporte ! Songez ? Un être est là, que vous adorez, un être unique, car dans toute l'étendue de la terre il n'en existe pas un second qui lui ressemble. Cet être s'est donné à vous, il crée avec vous cette union mystérieuse qu'on nomme l'Amour. Son œil vous semble plus vaste que l'espace, plus charmant que le monde, son œil clair où sourit la tendresse. Cet être vous aime. Quand il vous parle, sa voix vous verse un flot de bonheur.

« Et tout d'un coup, il disparaît ! Songez ! Il disparaît non pas seulement pour vous, mais pour toujours. Il est *mort*. Comprenez-vous ce mot ? Jamais, jamais, jamais, nulle part, cet être n'existera plus. Jamais cet œil ne regardera plus rien ; jamais cette voix, jamais une voix pareille, parmi toutes les voix humaines, ne prononcera de la même façon un des mots que prononçait la sienne.

« Jamais aucun visage ne renaîtra semblable au sien. Jamais, jamais ! On garde les moules des statues ; on conserve des empreintes qui refont des objets avec les mêmes contours et les mêmes couleurs. Mais ce corps et ce visage, jamais ils ne reparaîtront sur la terre. Et pourtant il en naîtra des milliers de créatures, des millions, des milliards, et bien plus encore, et parmi toutes les femmes futures, jamais celle-là ne se retrouvera. Est-ce possible ? On devient fou en y songeant ! Elle a existé vingt ans, pas plus, et elle a disparu pour toujours, pour toujours, pour toujours !

« Elle pensait, elle souriait, elle m'aimait. Plus rien. Les mouches qui meurent à l'automne sont autant que nous dans la création. Plus rien ! Et je pensais que son corps, son corps frais, chaud, si doux, si blanc, si beau, s'en allait en pourriture dans le fond d'une boîte sous la terre. Et son âme, sa pensée, son amour, où ?

« Ne plus la revoir ! Ne plus la revoir ! L'idée me hantait de ce corps décomposé, que je pourrais peut-être reconnaître pourtant. Et je voulus le regarder encore une fois !

« Je partis avec une bêche, une lanterne, un marteau. Je sautai par-dessus le mur du cimetière. Je retrouvai le trou de sa tombe ; on ne l'avait pas encore tout à fait rebouché.

« Je mis le cercueil à nu. Et je soulevai une planche. Une odeur abominable, le souffle infâme des putréfactions me monta dans la figure — oh ! son lit, parfumé d'iris !

« J'ouvris la bière cependant, et je plongeai dedans ma lanterne allumée, et je la vis. Sa figure était bleue, bouffie, épouvantable ! un liquide noir avait coulé de sa bouche.

« Elle ! c'était elle ! Une horreur me saisit. Mais j'allongeai le bras et je pris ses cheveux pour attirer à moi cette face monstrueuse !

« C'est alors qu'on m'arrêta.

« Toute la nuit j'ai gardé, comme on garde le parfum d'une femme après une étreinte d'amour, l'odeur immonde de cette pourriture, l'odeur de ma bien-aimée !

« Faites de moi ce que vous voudrez. »

★

Un étrange silence paraissait peser sur la salle. On semblait attendre quelque chose encore. Les jurés se retirèrent pour délibérer.

Quand ils rentrèrent au bout de quelques minutes, l'accusé semblait sans craintes, et même sans pensée.

Le président, avec les formules d'usage, lui annonça que ses juges le déclaraient innocent.

Il ne fit pas un geste, et le public applaudit.

# UN FOU[1]?

Quand on me dit : « Vous savez que Jacques Parent est mort fou dans une maison de santé », un frisson douloureux, un frisson de peur et d'angoisse me courut le long des os ; et je le revis brusquement, ce grand garçon étrange, fou depuis longtemps peut-être, maniaque inquiétant, effrayant même.

C'était un homme de quarante ans, haut, maigre, un peu voûté, avec des yeux d'halluciné, des yeux noirs, si noirs qu'on ne distinguait pas la pupille, des yeux mobiles, rôdeurs, malades, hantés. Quel être singulier, troublant, qui apportait, qui jetait un malaise autour de lui, un malaise vague, de l'âme, du corps, un de ces énervements incompréhensibles qui font croire à des influences surnaturelles.

Il avait un tic gênant : la manie de cacher ses mains. Presque jamais il ne les laissait errer, comme nous faisons tous, sur les objets, sur les tables. Jamais il ne maniait les choses traînantes avec ce geste familier qu'ont presque tous les hommes. Jamais il ne les laissait nues, ses longues mains osseuses, fines, un peu fébriles. Il les enfonçait dans ses poches, sous les revers de ses vêtements ; il les dissimulait sous ses aisselles en croisant les bras. On eût dit qu'il avait peur qu'elles ne fissent, malgré lui, quelque besogne défendue, qu'elles n'accomplissent quelque action honteuse ou ridicule s'il les laissait libres et maîtresses de leurs mouvements.

Quand il était obligé de s'en servir pour tous les usages ordinaires de la vie, il le faisait par saccades brusques, par élans rapides du bras comme s'il n'eût pas voulu leur laisser le temps d'agir par elles-mêmes, de se refuser à sa volonté, d'exécuter autre chose. À table, il saisissait son verre, sa fourchette ou son couteau si vivement qu'on n'avait jamais le temps de prévoir ce qu'il voulait faire avant qu'il ne l'eût accompli.

Or, j'eus un soir l'explication de la surprenante maladie de son âme.

Il venait passer de temps en temps quelques jours chez moi, à la campagne, et ce soir-là il me paraissait particulièrement agité.

Un orage montait dans le ciel, étouffant et noir, après une journée d'atroce chaleur. Aucun souffle d'air ne remuait les feuilles. Une vapeur chaude de four passait sur les visages, faisait haleter les poitrines. Je me sentais mal à l'aise, agité, et je voulus gagner mon lit.

Quand il me vit me lever pour partir, Jacques Parent me saisit le bras d'un geste effaré.

— Oh ! non, reste encore un peu, me dit-il.

Je le regardai avec surprise, en murmurant :

— C'est que cet orage me secoue les nerfs.

Il gémit, ou plutôt il cria :

— Et moi donc ! Oh ! reste, je te prie ; je ne voudrais pas demeurer seul.

Il avait l'air affolé. Je prononçai :

— Qu'est-ce que tu as ? Perds-tu la tête ?

Et il balbutia :

— Oui, par moments, dans les soirs comme celui-ci, dans les soirs d'électricité... j'ai... j'ai... j'ai peur... j'ai peur de moi... tu ne me comprends pas ? C'est que je suis doué d'un pouvoir... non... d'une puissance... non... d'une force... Enfin, je ne sais pas dire ce que c'est, mais j'ai en moi une action magnétique si extraordinaire que j'ai peur, oui, j'ai peur de moi, comme je te le disais tout à l'heure !

Et il cachait, avec des frissons éperdus, ses mains vibrantes sous les revers de sa jaquette.

Et moi-même je me sentis soudain tout tremblant d'une crainte confuse, puissante, horrible. J'avais envie de partir, de me sauver, de ne plus le voir, de ne plus voir son œil errant passer sur moi, puis s'enfuir, tourner autour du plafond, chercher quelque coin sombre de la pièce pour s'y fixer, comme s'il eût voulu cacher aussi son regard redoutable.

Je balbutiai : « Tu ne m'avais jamais dit ça ! » Il reprit : « Est-ce que j'en parle à personne ? Tiens, écoute, ce soir je ne puis me taire. Et j'aime mieux que tu saches tout ; d'ailleurs, tu pourras me secourir.

Le magnétisme ! Sais-tu ce que c'est ? Non. Personne ne sait. On le constate pourtant ; on le reconnaît, les médecins eux-mêmes le pratiquent, un des plus illustres, M. Charcot[2], le professe. Donc, pas de doute, cela existe.

Un homme, un être a le pouvoir, effrayant et incompréhensible, d'endormir, par la force de sa volonté, un autre être, et, pendant qu'il dort, de lui voler sa pensée comme on volerait une bourse. Il lui vole sa pensée, c'est-à-dire son âme, l'âme, ce sanctuaire, ce secret du Moi, l'âme ce fond de l'homme qu'on croyait impénétrable, l'âme cet asile des inavouables idées, de tout ce qu'on cache, de tout ce qu'on aime, de tout ce qu'on veut celer à tous les humains, il l'ouvre, la viole, l'étale, la jette au public ! N'est-ce pas atroce, criminel, infâme ?

Pourquoi, comment cela se fait-il ? Le sait-on ? Mais que sait-on ? Tout est mystère. Nous ne communiquons avec les choses que par nos misérables sens, incomplets, infirmes, si faibles qu'ils ont à peine la puissance de constater ce qui nous entoure. Tout est mystère. Songe à la musique, cet art divin, cet art qui bouleverse l'âme, l'emporte, la grise, l'affole, qu'est-ce donc ? Rien.

Tu ne me comprends pas ? Écoute. Deux corps se heurtent. L'air vibre. Ces vibrations sont plus ou moins nombreuses, plus ou moins rapides, plus ou moins fortes, selon la nature du choc. Or, nous avons dans l'oreille une petite peau qui reçoit ces vibrations de l'air et les transmet au cerveau sous forme de son. Imagine qu'un verre d'eau se change en vin dans ta bouche. Le tympan accomplit cette incroyable métamorphose, ce surprenant miracle de changer le mouvement en son. Voilà.

La musique, cet art complexe et mystérieux, précis comme l'algèbre et vague comme un rêve, cet art fait de mathématiques et de brise, ne vient donc que de la propriété étrange d'une petite peau. Elle n'existerait point, cette peau, que le son non plus n'existerait pas, puisque par lui-même il n'est qu'une vibration. Sans l'oreille, devinerait-on la musique ? — Non. — Eh bien ! nous sommes entourés de choses que nous ne soupçonnerons jamais, parce que les organes nous manquent qui nous les révéleraient.

Le magnétisme est de celles-là peut-être. Nous ne pouvons que pressentir cette puissance, que tenter en tremblant ce voisinage des esprits, qu'entrevoir ce nouveau secret de la nature, parce que nous n'avons point en nous l'instrument révélateur.

Quant à moi... Quant à moi, je suis doué d'une puissance affreuse. On dirait un autre être enfermé en moi qui veut sans cesse s'échapper, agir malgré moi, qui s'agite, me ronge, m'épuise. Quel est-il ? Je ne sais pas, mais nous sommes deux dans mon pauvre corps, et c'est lui, l'autre, qui est souvent le plus fort, comme ce soir.

Je n'ai qu'à regarder les gens pour les engourdir comme si je leur avais versé de l'opium. Je n'ai qu'à étendre les mains pour produire des choses... des choses... terribles. Si tu savais ? Oui, si tu savais ? Mon pouvoir ne s'étend pas seulement sur les hommes, mais aussi sur les animaux et même... sur les objets...

Cela me torture et m'épouvante. J'ai eu envie souvent de me crever les yeux et de me couper les poignets.

Mais je vais... je veux que tu saches tout. Tiens.

— Je vais te montrer cela... non pas sur des créatures humaines, c'est ce qu'on fait partout, mais sur... sur... des bêtes. Appelle Mirza.

Il marchait à grands pas avec des airs d'halluciné ; et il sortit ses mains cachées dans sa poitrine. Elles me semblèrent effrayantes comme s'il eût mis à nu deux épées.

Et je lui obéis, machinalement, subjugué, vibrant de terreur et dévoré d'une sorte de désir impétueux de voir. J'ouvris la porte et je sifflai ma chienne, qui couchait dans le vestibule. J'entendis aussitôt le bruit précipité de ses ongles sur les marches de l'escalier, et elle apparut, joyeuse, remuant la queue.

Puis, je lui fis signe de se coucher sur un fauteuil ; elle y sauta, et Jacques se mit à la caresser en la regardant. D'abord, elle sembla inquiète ; elle frissonnait, tournait la tête pour éviter l'œil fixe de l'homme, semblait agitée d'une crainte grandissante. Tout à coup, elle commença à trembler, comme tremblent les chiens. Tout son corps palpitait, secoué de longs frissons ; et elle voulut s'enfuir. Mais il posa sa main sur le crâne de l'animal qui poussa, sous ce toucher, un de ces longs hurlements qu'on entend, la nuit, dans la campagne.

Je me sentais moi-même engourdi, étourdi, ainsi qu'on l'est lorsqu'on monte en barque. Je voyais se pencher les meubles, remuer les murs. Je balbutiai : « Assez, Jacques, assez. »

Mais il ne m'écoutait plus. Il regardait Mirza d'une façon continue, effrayante. Elle fermait les yeux maintenant et laissait tomber sa tête, comme on fait en s'endormant. Il se tourna vers moi.

— C'est fait, dit-il, vois maintenant.

Et jetant son mouchoir de l'autre côté de l'appartement, il cria : « Apporte ! » La bête alors se souleva, et chancelant, trébuchant comme si elle eût été aveugle, remuant ses pattes comme les paralytiques remuent leurs jambes, elle s'en alla vers le linge qui faisait une tache blanche contre le mur. Elle essaya plusieurs fois de le prendre dans sa gueule, mais elle mordait à côté comme si elle ne l'eût pas vu. Elle le saisit enfin, et revint de la même allure ballottée de chien somnambule.

C'était une chose terrifiante à voir.

Il commanda : « Couche-toi. » Elle se coucha. Alors, touchant le front, il dit : « Un lièvre, pille, pille. » Et la bête, toujours sur le flanc, essaya de courir, s'agita comme font les chiens qui rêvent, et poussa sans ouvrir la gueule des petits aboiements étranges, des aboiements de ventriloque.

Jacques semblait devenu fou. La sueur coulait de son front. Il cria : « Mords-le, mords ton maître. » Elle eut deux ou trois soubresauts terribles. On eût juré qu'elle résistait, qu'elle luttait. Il répéta : « Mords-le. » Alors, se levant, ma chienne s'en vint vers moi ; et moi je reculais vers la muraille, frémissant d'épouvante, le pied levé pour la frapper, pour la repousser.

Mais Jacques ordonna : « Ici, tout de suite. » Elle se retourna vers lui. Alors, de ces deux grandes mains, il se mit à lui frotter la tête comme s'il l'eût débarrassée de liens invisibles.

Mirza rouvrit les yeux : « C'est fini », dit-il.

Je n'osai point la toucher et je poussai la porte pour qu'elle s'en allât. Elle partit lentement, tremblante, épuisée, et j'entendis de nouveau ses griffes frapper les marches.

Mais Jacques revint vers moi : « Ce n'est pas tout. Ce qui m'effraie le plus, c'est ceci, tiens. Les objets m'obéissent. »

Il y avait sur ma table une sorte de couteau-poignard dont je me servais pour couper les feuillets des livres. Il allongea sa main vers lui. Elle semblait ramper, s'approchait lentement ; et tout d'un coup, je vis, oui, je vis le couteau lui-même tressaillir, puis il remua ; puis il glissa doucement, tout seul, sur le bois vers la main arrêtée qui l'attendait, et il vint se placer sous ses doigts.

Je me mis à crier de terreur. Je crus que je devenais

fou moi-même, mais le son aigu de ma voix me calma soudain.

Jacques reprit : « Tous les objets viennent ainsi vers moi. C'est pour cela que je cache mes mains. Qu'est-ce que cela ? Du magnétisme, de l'électricité, de l'aimant ? Je ne sais pas, mais c'est horrible.

Et comprends-tu pourquoi c'est horrible ? Quand je suis seul, aussitôt que je suis seul, je ne puis m'empêcher d'attirer tout ce qui m'entoure. Et je passe des jours entiers à changer des choses de place, ne me lassant jamais d'essayer ce pouvoir abominable, comme pour voir s'il ne m'a pas quitté ! »

Il avait enfoui ses grandes mains dans ses poches et il regardait dans la nuit. Un petit bruit, un frémissement léger semblait passer dans les arbres.

C'était la pluie qui commençait à tomber.

Je murmurai : c'est effrayant !

Il répéta : c'est horrible.

Une rumeur accourut dans ce feuillage, comme un coup de vent. C'était l'averse, l'ondée épaisse, torrentielle.

Jacques se mit à respirer par grands souffles qui soulevaient sa poitrine.

— Laisse-moi, dit-il, la pluie va me calmer. Je désire être seul à présent.

# UN CAS DE DIVORCE[1]

L'avocat de M^me Chassel prit la parole :

MONSIEUR LE PRÉSIDENT,
MESSIEURS LES JUGES,

La cause que je suis chargé de défendre devant vous
relève bien plus de la médecine que de la justice, et
constitue bien plus un cas pathologique qu'un cas de
droit ordinaire. Les faits semblent simples au premier
abord.

Un homme jeune, très riche, d'âme noble et exaltée,
de cœur généreux, devient amoureux d'une jeune fille
absolument belle, plus que belle, adorable, aussi
gracieuse, aussi charmante, aussi bonne, aussi tendre
que jolie, et il l'épouse.

Pendant quelque temps, il se conduit envers elle en
époux plein de soins et de tendresse ; puis il la néglige,
la rudoie, semble éprouver pour elle une répulsion
insurmontable, un dégoût irrésistible. Un jour même
il la frappe, non seulement sans aucune raison, mais
même sans aucun prétexte.

Je ne vous ferai point le tableau, messieurs, de ses
allures bizarres, incompréhensibles pour tous. Je ne
vous dépeindrai point la vie abominable de ces deux
êtres, et la douleur horrible de cette jeune femme.

Il me suffira pour vous convaincre de vous lire
quelques fragments d'un journal écrit chaque jour par

ce pauvre homme, par ce pauvre fou. Car c'est en face
d'un fou que nous nous trouvons, messieurs, et le cas
est d'autant plus curieux, d'autant plus intéressant
qu'il rappelle en beaucoup de points la démence du
malheureux prince, mort récemment, du roi bizarre
qui régna platoniquement sur la Bavière [2]. J'appellerai
ce cas : la folie poétique.

Vous vous rappelez tout ce qu'on raconta de ce
prince étrange. Il fit construire au milieu des paysages
les plus magnifiques de son royaume de vrais châteaux
de féerie. La réalité même de la beauté des choses et
des lieux ne lui suffisant pas, il imagina, il créa, dans
ces manoirs invraisemblables, des horizons factices,
obtenus au moyen d'artifices de théâtre, des change-
ments à vue, des forêts peintes, des empires de contes
où les feuilles des arbres étaient des pierres précieuses.
Il eut des Alpes et des glaciers, des steppes, des
déserts de sable brûlés par le soleil ; et, la nuit, sous les
rayons de la vraie lune, des lacs qu'éclairaient par
dessous de fantastiques lueurs électriques. Sur ces lacs
nageaient des cygnes et glissaient des nacelles, tandis
qu'un orchestre, composé des premiers exécutants du
monde, enivrait de [3] poésie l'âme du fou royal.

Cet homme était chaste, cet homme était vierge. Il
n'aima jamais qu'un rêve, son rêve, son rêve divin.

Un soir, il emmena dans sa barque une femme,
jeune, belle, une grande artiste et il la pria de chanter.
Elle chanta, grisée elle-même par l'admirable paysage,
par la douceur tiède de l'air, par le parfum des fleurs
et par l'extase de ce prince jeune et beau.

Elle chanta, comme chantent les femmes que
touche l'amour, puis, éperdue, frémissante, elle
tomba sur le cœur du roi en cherchant ses lèvres.

Mais il la jeta dans le lac, et prenant ses rames gagna
la berge, sans s'inquiéter si on la sauvait.

Nous nous trouvons, messieurs les juges, devant un
cas tout à fait semblable. Je ne ferai plus que lire
maintenant des passages du journal que nous avons
surpris dans un tiroir du secrétaire.

. . . . . . . . . . . . . . . . . . . . . . . . . . . . . . . . . . . . . . . . . .

Comme tout est triste et laid, toujours pareil, toujours odieux. Comme je rêve une terre plus belle, plus noble, plus variée. Comme elle serait pauvre l'imagination de leur Dieu, si leur Dieu existait ou s'il n'avait pas créé d'autres choses, ailleurs.

Toujours des bois, de petits bois, des fleuves qui ressemblent aux fleuves, des plaines qui ressemblent aux plaines, tout est pareil et monotone. Et l'homme[4]... L'homme ?... Quel horrible animal, méchant, orgueilleux et répugnant.

. . . . . . . . . . . . . . . . . . . . . . . . . . . . . . . . . . . . . . . . . . . . . . .

Il faudrait aimer, aimer éperdument, sans voir ce qu'on aime. Car voir c'est comprendre, et comprendre c'est mépriser. Il faudrait aimer, en s'enivrant d'elle comme on se grise de vin, de façon à ne plus savoir ce qu'on boit. Et boire, boire, boire, sans reprendre haleine, jour et nuit !

. . . . . . . . . . . . . . . . . . . . . . . . . . . . . . . . . . . . . . . . . . . . . . .

J'ai trouvé, je crois. Elle a dans toute sa personne quelque chose d'idéal qui ne semble point de ce monde et qui donne des ailes à mon rêve. Ah ! mon rêve, comme il me montre les êtres différents de ce qu'ils sont. Elle est blonde, d'un blond léger avec des cheveux qui ont des nuances inexprimables. Ses yeux sont bleus ! Seuls les yeux bleus emportent mon âme. Toute la femme, la femme qui existe au fond de mon cœur, m'apparaît dans l'œil, rien que dans l'œil.

Oh ! mystère ! Quel mystère ? L'œil ?... Tout l'univers est en lui, puisqu'il le voit, puisqu'il le reflète. Il contient l'univers, les choses et les êtres, les forêts et les océans, les hommes et les bêtes, les couchers de soleil, les étoiles, les arts, tout, tout, il voit, cueille et emporte tout ; et il y a plus encore en lui, il y a l'âme, il y a l'homme qui pense, l'homme qui aime, l'homme qui rit, l'homme qui souffre ! Oh ! regardez les yeux bleus des femmes, ceux qui sont profonds comme la mer, changeants comme le ciel, si doux, si doux, doux comme les brises, doux comme la musique, doux comme des baisers, et transparents, si clairs qu'on voit derrière, on voit l'âme, l'âme bleue qui les colore, qui les anime, qui les divinise.

Oui, l'âme a la couleur du regard. L'âme bleue seule porte en elle du rêve, elle a pris son azur aux flots et à l'espace.

L'œil ! Songez à lui ! L'œil ! Il boit la vie apparente pour en nourrir la pensée. Il boit le monde, la couleur, le mouvement, les livres, les tableaux, tout ce qui est beau et tout ce qui est laid, et il en fait des idées. Et quand il nous regarde, il nous donne la sensation d'un bonheur qui n'est point de cette terre. Il nous fait pressentir ce que nous ignorerons toujours ; il nous fait comprendre que les réalités de nos songes sont de méprisables ordures.

. . . . . . . . . . . . . . . . . . . . . . . . . . . . . . . . . . . . . . . . . . . . . . .

Je l'aime aussi pour sa démarche.

« Même quand l'oiseau marche on sent qu'il a des ailes », a dit le poète[5].

Quand elle passe on sent qu'elle est d'une autre race que les femmes ordinaires, d'une race plus légère et plus divine.

. . . . . . . . . . . . . . . . . . . . . . . . . . . . . . . . . . . . . . . . . . . . . . .

Je l'épouse[6] demain... J'ai peur... j'ai peur de tant de choses.

. . . . . . . . . . . . . . . . . . . . . . . . . . . . . . . . . . . . . . . . . . . . . . .

Deux bêtes, deux chiens, deux loups, deux renards, rôdent par les bois et se rencontrent. L'un est mâle, l'autre femelle. Ils s'accouplent. Ils s'accouplent par un instinct bestial qui les force à continuer la race, leur race, celle dont ils ont la forme, le poil, la taille, les mouvements et les habitudes.

Toutes les bêtes en font autant, sans savoir pourquoi !

Nous aussi.

C'est cela que j'ai fait en l'épousant, j'ai obéi à cet imbécile emportement qui nous jette vers la femelle.

Elle est ma femme. Tant que je l'ai idéalement désirée elle fut pour moi le rêve irréalisable près de se réaliser. A partir de la seconde même où je l'ai tenue dans mes bras, elle ne fut plus que l'être dont la nature s'était servie pour tromper toutes mes espérances.

Les a-t-elle trompées ? — Non. Et pourtant je suis las d'elle, las à ne pouvoir la toucher, l'effleurer de ma main ou de mes lèvres sans que mon cœur soit soulevé par un dégoût inexprimable, non peut-être le dégoût d'elle, mais un dégoût plus haut, plus grand, plus méprisant, le dégoût de l'étreinte amoureuse, si vile, qu'elle est devenue, pour tous les êtres affinés, un acte honteux qu'il faut cacher, dont on ne parle qu'à voix basse, en rougissant.

. . . . . . . . . . . . . . . . . . . . . . . . . . . . . . . . . . . . . . . . . . .

Je ne peux plus voir ma femme venir vers moi, m'appelant du sourire, du regard et des bras. Je ne peux plus. J'ai cru jadis que son baiser m'emporterait dans le ciel. Elle fut souffrante, un jour, d'une fièvre passagère, et je sentis dans son haleine le souffle léger, subtil, presque insaisissable des pourritures humaines. Je fus bouleversé !

Oh ! la chair, fumier séduisant et vivant, putréfaction qui marche, qui pense, qui parle, qui regarde et qui sourit[7], où les nourritures fermentent et qui est rose, jolie, tentante, trompeuse comme l'âme.

. . . . . . . . . . . . . . . . . . . . . . . . . . . . . . . . . . . . . . . . . . .

Pourquoi les fleurs, seules, sentent-elles si bon, les grandes fleurs éclatantes ou pâles, dont les tons, les nuances font frémir mon cœur et troublent mes yeux. Elles sont si belles, de structures si fines, si variées et si sensuelles, entr'ouvertes comme des organes, plus tentantes que des bouches, et creuses avec des lèvres retournées, dentelées, charnues, poudrées d'une semence de vie qui, dans chacune, engendre un parfum différent.

Elles se reproduisent, elles, elles seules, au monde, sans souillure pour leur inviolable race, évaporant autour d'elles l'encens divin de leur amour, la sueur odorante de leurs caresses, l'essence de leurs corps incomparables, de leurs corps parés de toutes les grâces, de toutes les élégances, de toutes les formes,

qui ont la coquetterie de toutes les colorations et la
séduction enivrante de toutes les senteurs.

. . . . . . . . . . . . . . . . . . . . . . . . . . . . . . . . . . . . . . . . . . . .

*Fragments choisis*[8], *six mois plus tard.*

... J'aime les fleurs, non point comme des fleurs
mais comme des êtres matériels et délicieux ; je passe
mes jours et mes nuits dans les serres où je les cache
ainsi que les femmes des harems.

Qui connaît, hors moi, la douceur, l'affolement,
l'extase frémissante, charnelle, idéale[9], surhumaine
de ces tendresses ; et ces baisers sur la chair rose, sur la
chair rouge[10], sur la chair blanche miraculeusement
différente, délicate, rare, fine[11], onctueuse des admirables fleurs.

J'ai des serres où personne ne pénètre que moi et
celui qui en prend soin.

J'entre là comme on se glisse en un lieu de plaisir
secret. Dans la haute galerie de verre, je passe d'abord
entre deux foules de corolles fermées, entr'ouvertes ou
épanouies qui vont en pente de la terre au toit. C'est le
premier baiser qu'elles m'envoient.

Celles-là, ces fleurs-là, celles qui[12] parent ce vestibule de mes passions mystérieuses sont mes servantes
et non mes favorites.

Elles me saluent au passage de leur éclat changeant
et de leurs fraîches exhalaisons. Elles[13] sont mignon-
nes, coquettes, étagées sur huit rangs à droite et sur
huit rangs à gauche, et si pressées qu'elles ont l'air de
deux jardins venant[14] jusqu'à mes pieds.

Mon cœur palpite, mon œil s'allume à les voir, mon
sang s'agite dans mes veines, mon âme s'exalte, et mes
mains déjà frémissent du désir de les toucher. Je
passe. Trois portes sont fermées au fond de cette haute
galerie. Je peux choisir. J'ai trois harems.

Mais j'entre le plus souvent chez les orchidées, mes
endormeuses préférées. Leur chambre est basse,
étouffante. L'air humide et chaud rend moite la peau,
fait haleter la gorge et trembler les doigts. Elles

viennent, ces filles étranges, de pays marécageux, brûlants et malsains. Elles sont attirantes comme des sirènes, mortelles comme des poisons, admirablement bizarres, énervantes, effrayantes. En voici qui semblent des papillons avec des ailes énormes, des pattes minces, des yeux ! Car elles ont des yeux ! Elles me regardent, elles me voient, êtres prodigieux, invraisemblables, fées, filles de la terre sacrée, de l'air impalpable et de la chaude lumière, cette mère du monde. Oui, elles ont des ailes, et des yeux et des nuances qu'aucun peintre n'imite, tous les charmes, toutes les grâces, toutes les formes qu'on peut rêver. Leur flanc se creuse, odorant et transparent, ouvert pour l'amour et plus tentant que toute la chair des femmes. Les inimaginables dessins de leurs petits corps jettent l'âme grisée dans le paradis des images et des voluptés idéales. Elles tremblent sur leurs tiges comme pour s'envoler. Vont-elles s'envoler, venir à moi ? Non, c'est mon cœur qui vole au-dessus d'elles comme un mâle mystique et torturé d'amour.

Aucune aile de bête ne peut les effleurer. Nous sommes seuls, elles et moi, dans la prison claire que je leur ai construite. Je les regarde et je les contemple, je les admire, je les adore l'une après l'autre.

Comme elles sont grasses, profondes, roses, d'un rose qui mouille les lèvres de désir ! Comme je les aime ! Le bord de leur calice est frisé, plus pâle que leur gorge et la corolle s'y cache, bouche mystérieuse, attirante, sucrée sous la langue, montrant et dérobant les organes délicats, admirables et sacrés de ces divines petites créatures qui sentent bon et ne parlent pas.

J'ai parfois pour une d'elles une passion qui dure autant que son existence, quelques jours, quelques soirs. On l'enlève alors de la galerie commune et on l'enferme dans un mignon cabinet de verre où murmure un fil d'eau contre un lit de gazon tropical venu des îles du grand Pacifique. Et je reste près d'elle, ardent, fiévreux et tourmenté, sachant sa mort si proche, et la regardant se faner, tandis que je la possède, que j'aspire, que je bois, que je cueille sa courte vie d'une inexprimable caresse.

..........................................

Lorsqu'il eût terminé la lecture de ces fragments, l'avocat reprit :

« La décence, messieurs les juges, m'empêche de continuer à vous communiquer les singuliers aveux de ce fou honteusement idéaliste. Les quelques fragments que je viens de vous soumettre vous suffiront, je crois, pour apprécier ce cas de maladie mentale, moins rare qu'on ne croit dans notre époque de démence hystérique et de décadence corrompue.

« Je pense donc que ma cliente est plus autorisée qu'aucune autre femme à réclamer le divorce, dans la situation exceptionnelle où la place l'étrange égarement des sens de son mari [15]. »

# L'AUBERGE[1]

Pareille à toutes les hôtelleries de bois plantées dans les Hautes-Alpes, au pied des glaciers, dans ces couloirs rocheux et nus qui coupent les sommets blancs des montagnes, l'auberge de Schwarenbach sert de refuge aux voyageurs qui suivent le passage de la Gemmi[2].

Pendant six mois[3] elle reste ouverte, habitée par la famille de Jean Hauser[4] ; puis, dès que les neiges s'amoncellent, emplissant le vallon et rendant impraticable la descente sur Loëche, les femmes, le père et les trois fils s'en vont, et laissent pour garder la maison le vieux guide Gaspard Hari avec le jeune guide Ulrich Kunzi[5], et Sam le gros chien de montagne.

Les deux hommes et la bête demeurent jusqu'au printemps dans cette prison de[6] neige, n'ayant devant les yeux que la pente immense et blanche du Balmhorn, entourés de sommets pâles et luisants, enfermés, bloqués, ensevelis sous la neige qui monte autour d'eux, enveloppe, étreint, écrase la petite maison, s'amoncelle sur le toit, atteint les fenêtres et mure la porte.

C'était le jour où la famille Hauser allait retourner à Loëche, l'hiver approchant et la descente devenant périlleuse.

Trois mulets partirent en avant, chargés de hardes et de bagages et conduits par les trois fils. Puis la mère, Jeanne Hauser, et sa fille Louise montèrent sur un quatrième mulet, et se mirent en route à leur tour.

Le père les suivait accompagné des deux gardiens qui devaient escorter la[7] famille jusqu'au sommet de la descente.

Ils contournèrent d'abord le petit lac, gelé maintenant au fond du grand trou de rochers qui s'étend devant l'auberge, puis ils suivirent le vallon clair comme un drap et dominé de tous côtés par des sommets de neige.

Une averse de soleil tombait sur ce désert blanc éclatant et glacé, l'allumait d'une flamme aveuglante et froide ; aucune vie n'apparaissait dans cet océan des monts ; aucun mouvement dans cette solitude démesurée ; aucun bruit n'en troublait le profond silence.

Peu à peu, le jeune guide Ulrich Kunzi, un grand suisse aux longues jambes, laissa derrière lui le père Hauser et le vieux Gaspard Hari, pour rejoindre le mulet qui portait les deux femmes.

La plus jeune le regardait venir, semblait l'appeler d'un œil triste. C'était une petite paysanne blonde, dont les joues laiteuses et les cheveux pâles paraissaient décolorés par les longs séjours au milieu des glaces.

Quand il eut rejoint la bête qui la portait, il posa la main sur la croupe et ralentit le pas. La mère Hauser se mit à lui parler, énumérant avec des détails infinis toutes les recommandations de l'hivernage. C'était la première fois qu'il restait là-haut, tandis que le vieux Hari avait déjà passé quatorze hivers sous la neige dans l'auberge de Schwarenbach.

Ulrich Kunzi écoutait, sans avoir l'air de comprendre, et regardait sans cesse la jeune fille. De temps en temps il répondait : « Oui, madame Hauser. » Mais sa pensée semblait loin et sa figure calme demeurait impassible.

Ils atteignirent le lac de Daube, dont la longue surface gelée s'étendait, toute plate, au fond du val. À droite, le Daubenhorn montrait ses rochers noirs dressés à pic auprès des énormes moraines du glacier de Lœmmern que dominait le Wildstrubel.

Comme ils approchaient du col de la Gemmi, où commence la descente sur Loëche, ils découvrirent tout à coup l'immense horizon des Alpes du Valais dont les séparait la profonde et large vallée du Rhône.

C'était, au loin, un peuple de sommets blancs, inégaux, écrasés ou pointus et luisants sous le soleil : le Mischabel avec ses deux cornes, le puissant massif du Weisshorn [8], le lourd Brunnegghorn, la haute et redoutable pyramide du Cervin, ce tueur d'hommes, et la Dent-Blanche, cette monstrueuse coquette.

Puis, au-dessous d'eux, dans un trou démesuré, au fond d'un abîme effrayant, ils aperçurent Loëche, dont les maisons semblaient des grains de sable jetés dans cette crevasse énorme que finit et que ferme la Gemmi, et qui s'ouvre, là-bas, sur le Rhône.

Le mulet s'arrêta au bord du sentier qui va, serpentant, tournant sans cesse et revenant, fantastique et merveilleux, le long de la montagne droite, jusqu'à ce petit village presque invisible, à son pied. Les femmes sautèrent dans la neige.

Les deux vieux les avaient rejoints.

— Allons, dit le père Hauser, adieu et bon courage, à l'an prochain, les amis.

Le père Hari répéta : « A l'an prochain. »

Ils s'embrassèrent. Puis M$^{me}$ Hauser, à son tour, tendit ses joues ; et la jeune fille en fit autant.

Quand ce fut le tour d'Ulrich Kunzi, il murmura dans l'oreille de Louise : « N'oubliez point ceux d'en-haut. » Elle répondit « non » si bas, qu'il devina [9] sans l'entendre.

— Allons, adieu, répéta Jean Hauser, et bonne santé.

Et, passant devant les femmes, il commença à descendre.

Ils disparurent bientôt tous les trois au premier détour du chemin.

Et les deux hommes s'en retournèrent vers l'auberge de Schwarenbach.

Ils allaient lentement, côte à côte, sans parler.

C'était fini, ils resteraient seuls, face à face, quatre ou cinq mois.

Puis Gaspard Hari se mit à raconter sa vie de l'autre hiver. Il était demeuré avec Michel Canol, trop âgé maintenant pour recommencer ; car un accident peut arriver pendant cette longue solitude. Ils ne s'étaient pas ennuyés, d'ailleurs ; le tout était d'en prendre son parti dès le premier jour ; et on finissait par se créer des distractions, des jeux, beaucoup de passe-temps.

Ulrich Kunzi l'écoutait, les yeux baissés, suivant en pensée ceux qui descendaient vers le village par tous les festons de la Gemmi.

Bientôt ils aperçurent l'auberge, à peine visible, si petite, un point noir au pied de la monstrueuse vague de neige.

Quand ils ouvrirent, Sam [10], le gros chien frisé, se mit à gambader autour d'eux.

— Allons, fils, dit le vieux Gaspard, nous n'avons plus de femme maintenant [11], il faut préparer le dîner, tu vas éplucher les pommes de terre.

Et tous deux, s'asseyant sur des escabeaux de bois, commencèrent à tremper la soupe.

La matinée du lendemain sembla longue à Ulrich Kunzi. Le vieux Hari fumait et crachait dans l'âtre, tandis que le jeune homme regardait par la fenêtre l'éclatante montagne en face de la maison.

Il sortit dans [12] l'après-midi, et refaisant le [13] trajet de la veille, il cherchait sur le sol les traces des sabots du mulet qui avait porté les deux femmes. Puis quand il fut au col de la Gemmi, il se coucha sur le ventre au bord de l'abîme, et regarda Loëche.

Le village dans son puits de rocher n'était [14] pas encore noyé sous la neige, bien qu'elle vînt tout près de lui, arrêtée net par les forêts de sapins qui protégeaient ses environs. Ses maisons [15] basses ressemblaient, de là-haut, à des pavés, dans une prairie.

La petite Hauser était là, maintenant, dans une de ces demeures grises. Dans laquelle ? Ulrich Kunzi se trouvait trop loin pour les distinguer séparément.

Comme il aurait voulu descendre, pendant qu'il le pouvait encore !

Mais le soleil avait disparu derrière la grande cime du Wildstrubel [16] ; et le jeune homme rentra. Le père Hari fumait. En voyant revenir son compagnon, il lui proposa une partie de cartes ; et ils s'assirent en face l'un de l'autre des deux côtés de la table.

Ils jouèrent longtemps, un jeu simple qu'on nomme la brisque [17], puis, ayant soupé, ils se couchèrent.

Les jours qui suivirent furent pareils au premier, clairs et froids, sans neige nouvelle. Le vieux Gaspard passait ses après-midi à guetter les aigles et les rares oiseaux qui s'aventurent sur ces sommets glacés, tandis que Ulrich retournait régulièrement au col de la Gemmi pour contempler le village. Puis ils jouaient aux cartes, aux dés, aux dominos, gagnaient et perdaient de petits objets pour intéresser leur partie.

Un matin, Hari, levé le premier, appela son compagnon. Un nuage mouvant, profond et léger, d'écume blanche s'abattait sur eux, autour d'eux, sans bruit, les ensevelissait peu [18] à peu sous un épais et sourd matelas de mousse. Cela dura quatre jours et quatre nuits [19]. Il fallut dégager la porte et les fenêtres, creuser un couloir et tailler des marches pour s'élever sur cette poudre de glace que douze heures de gelée avaient rendue plus dure que le granit des moraines.

Alors, ils vécurent comme des prisonniers, ne s'aventurant plus guère en dehors de leur demeure. Ils s'étaient partagé les besognes qu'ils [20] accomplissaient régulièrement. Ulrich Kunzi se chargeait des nettoyages, des lavages, de tous les soins et de tous les travaux de propreté [21]. C'était lui aussi qui cassait le bois, tandis que Gaspard Hari faisait la cuisine et entretenait le feu. Leurs ouvrages, réguliers et monotones, étaient interrompus par de longues parties de cartes ou de dés. Jamais ils ne se querellaient, étant tous deux calmes et placides. Jamais même ils n'avaient d'impatiences, de mauvaise humeur, ni de paroles aigres, car ils avaient fait provision de résignation pour cet hivernage sur les sommets.

Quelquefois, le vieux Gaspard prenait son fusil et s'en allait à la recherche des chamois ; il en tuait de temps en temps. C'était alors fête dans l'auberge de Schwarenbach et grand festin de chair fraîche.

Un matin, il partit ainsi. Le[22] thermomètre du dehors marquait dix-huit au-dessous de glace. Le soleil n'étant pas[23] encore levé, le chasseur espérait surprendre les bêtes aux abords du Wildstrubel.

Ulrich, demeuré seul, resta couché jusqu'à dix heures. Il était d'un naturel dormeur ; mais il n'eût point osé s'abandonner ainsi à son penchant en présence du vieux guide toujours ardent et matinal.

Il déjeuna lentement avec Sam, qui passait aussi ses jours et ses nuits à dormir devant le feu ; puis il se sentit triste, effrayé même de la solitude, et saisi par le besoin de la partie de cartes quotidienne, comme on l'est par le désir d'une habitude invincible.

Alors il sortit pour aller au-devant de son compagnon qui devait rentrer à quatre[24] heures.

La neige avait nivelé toute la profonde vallée, comblant les crevasses, effaçant les deux lacs, capitonnant les rochers ; ne faisant plus, entre les sommets immenses, qu'une immense cuve blanche régulière, aveuglante et glacée.

Depuis trois semaines, Ulrich n'était plus revenu au bord de l'abîme d'où il regardait le village. Il y voulut retourner avant de gravir les pentes qui conduisaient au Wildstrubel[25]. Loëche maintenant était aussi sous la neige, et les demeures ne se reconnaissaient plus guère, ensevelies sous ce manteau pâle.

Puis, tournant à droite, il gagna le glacier de Lœmmern. Il allait de son pas allongé de montagnard[26], en frappant de son bâton ferré la neige aussi dure que la pierre. Et il cherchait avec son œil perçant le petit point noir et mouvant[27], au loin, sur cette nappe démesurée.

Quand il fut au bord du glacier, il s'arrêta, se demandant si le vieux avait bien pris ce chemin ; puis il se mit à longer les moraines d'un pas plus rapide et plus inquiet.

Le jour baissait ; les neiges devenaient roses ; un vent sec et gelé courait par souffles brusques sur leur surface de cristal. Ulrich poussa un cri d'appel aigu, vibrant, prolongé. La voix[28] s'envola dans le silence de mort où dormaient les montagnes ; elle courut au loin, sur les vagues immobiles et profondes d'écume glaciale, comme un cri d'oiseau sur les vagues de la mer[29] ; puis elle s'éteignit et rien ne lui répondit.

Il se remit à marcher. Le soleil s'était enfoncé, là-bas, derrière[30] les cimes que les reflets du ciel empourpraient encore ; mais les profondeurs de la vallée devenaient grises. Et le jeune homme eut peur tout à coup. Il lui sembla que le silence, le froid, la solitude, la mort hivernale de ces monts entraient en lui, allaient arrêter et geler son sang, raidir ses[31] membres, faire de lui un être immobile et glacé. Et il se mit à courir, s'enfuyant vers sa demeure. Le vieux, pensait-il, était rentré pendant son absence. Il avait pris un autre chemin ; il serait assis devant le feu, avec un chamois mort à ses pieds.

Bientôt il aperçut l'auberge. Aucune fumée n'en sortait. Ulrich courut plus vite, ouvrit la porte. Sam s'élança pour le fêter, mais Gaspard Hari n'était point revenu.

Effaré, Kunzi tournait sur lui-même, comme s'il se fût attendu à découvrir son compagnon[32] caché dans un coin. Puis il ralluma le feu et fit la soupe, espérant toujours voir revenir le vieillard.

De temps en temps, il sortait pour regarder s'il n'apparaissait pas. La nuit était tombée, la nuit blafarde des montagnes, la nuit pâle, la nuit livide qu'éclairait, au bord de l'horizon, un croissant jaune et fin prêt à tomber derrière les sommets.

Puis le jeune homme rentrait, s'asseyait, se chauffait les pieds et les mains en rêvant aux accidents possibles.

Gaspard avait pu se casser une jambe, tomber dans un trou, faire un faux pas qui lui avait tordu la cheville. Et il restait étendu dans[33] la neige, saisi, raidi par[34] le froid, l'âme en détresse, perdu, criant peut-être au secours, appelant de toute la force de sa gorge dans le silence de la nuit.

Mais où ? La montagne était si vaste, si rude, si périlleuse aux environs, surtout en cette saison, qu'il aurait fallu être dix ou vingt guides et marcher pendant huit jours dans tous les sens pour trouver un homme en cette immensité[35].

Ulrich Kunzi[36], cependant, se résolut à partir avec Sam si Gaspard Hari n'était point revenu entre minuit et une heure du matin.

Et il fit ses préparatifs.

Il mit deux jours de vivres dans un sac, prit ses crampons d'acier, roula autour de sa taille une corde longue, mince et forte, vérifia l'état de son bâton ferré et de la hachette qui sert à tailler des degrés[37] dans la glace. Puis il attendit. Le feu brûlait dans la cheminée ; le gros chien ronflait sous la clarté de la flamme ; l'horloge battait comme un cœur ses coups réguliers dans sa gaine de bois sonore.

Il attendait, l'oreille éveillée aux bruits lointains, frissonnant quand le vent léger frôlait le toit et les murs.

Minuit sonna ; il tressaillit. Puis, comme il se sentait frémissant et apeuré, il posa de l'eau sur le feu, afin de boire du café bien chaud avant de se mettre en route[38].

Quand l'horloge[39] fit tinter une heure, il se dressa, réveilla Sam, ouvrit la porte et s'en alla dans la direction du Wildstrubel[40]. Pendant cinq heures, il monta, escaladant des rochers au moyen de ses crampons, taillant la glace, avançant toujours et parfois hâlant, au bout de sa corde, le chien resté en bas d'un escarpement trop rapide. Il était six heures environ, quand il atteignit un des sommets où le vieux Gaspard venait souvent à la recherche des chamois.

Et il attendit que le jour se levât.

Le ciel pâlissait sur sa tête ; et soudain une lueur bizarre, née on ne sait d'où, éclaira brusquement l'immense océan des cimes pâles qui s'étendaient à[41] cent lieues autour de lui. On eût dit que cette clarté

vague sortait de la neige elle-même pour se répandre
dans l'espace. Peu à peu les sommets lointains les plus
hauts devinrent tous d'un rose tendre comme de la
chair, et le soleil rouge apparut derrière les lourds
géants des Alpes bernoises.

Ulrich Kunzi se remit en route. Il allait comme un
chasseur, courbé, épiant des traces, disant au chien :
« Cherche, mon gros, cherche. »

Il redescendait la montagne à présent, fouillant de
l'œil les gouffres, et parfois appelant, jetant un cri
prolongé, mort bien vite dans l'immensité muette.
Alors, il collait à terre l'oreille, pour écouter ; il croyait
distinguer une voix, se mettait à courir, appelait de
nouveau, n'entendait plus rien et s'asseyait, épuisé,
désespéré. Vers midi, il déjeuna et fit manger Sam,
aussi las que lui-même. Puis il recommença ses
recherches.

Quand le soir vint, il marchait encore, ayant
parcouru cinquante kilomètres de montagne. Comme
il se trouvait trop loin de sa maison pour y rentrer, et
trop fatigué pour se traîner plus longtemps, il creusa
un trou dans la neige et s'y blottit avec son chien, sous
une couverture qu'il avait apportée. Et ils se couchèrent l'un contre l'autre, l'homme et la bête, chauffant
leurs corps [42] l'un à l'autre et gelés jusqu'aux moelles
cependant.

Ulrich ne dormit guère, l'esprit hanté de visions, les
membres secoués de frissons.

Le jour allait paraître quand il se releva. Ses jambes
étaient raides comme [43] des barres de fer, son âme
faible à le faire crier d'angoisse, son cœur palpitant à le
laisser choir d'émotion dès qu'il [44] croyait entendre un
bruit quelconque.

Il pensa soudain qu'il allait aussi mourir de froid
dans cette solitude, et [45] l'épouvante de cette mort,
fouettant son énergie, réveilla sa vigueur.

Il descendait maintenant vers l'auberge, tombant,
se relevant, suivi de loin par Sam, qui boitait sur trois
pattes.

Ils atteignirent Schwarenbach seulement vers quatre heures de l'après-midi. La maison était vide. Le jeune homme fit du feu, mangea et s'endormit, tellement abruti qu'il ne pensait plus à rien.

Il dormit longtemps, très longtemps, d'un sommeil invincible. Mais soudain, une voix, un cri, un nom : « Ulrich », secoua son engourdissement profond et le fit se dresser. Avait-il rêvé ? Était-ce un de ces appels bizarres qui traversent les rêves des âmes inquiètes ? Non, il l'entendait encore, ce cri vibrant, entré dans son oreille et resté dans sa chair jusqu'au bout de ses doigts nerveux. Certes, on avait crié ; on avait appelé : « Ulrich ! » Quelqu'un était là, près de la maison. Il n'en pouvait douter. Il ouvrit donc la porte et hurla : « C'est toi, Gaspard ! » de toute la puissance de sa gorge.

Rien ne répondit ; aucun son, aucun murmure, aucun gémissement, rien. Il faisait nuit. La neige était blême.

Le vent s'était levé, le vent glacé qui brise les pierres et ne laisse rien de vivant sur ces hauteurs abandonnées. Il passait par souffles brusques plus desséchants et plus mortels que le vent de feu du désert. Ulrich, de nouveau, cria : « Gaspard ! — Gaspard ! — Gaspard ! »

Puis il attendit. Tout demeura muet sur la montagne ! Alors, une épouvante le secoua jusqu'aux os. D'un bond il rentra dans l'auberge, ferma la porte et poussa les verrous ; puis il tomba grelottant sur une chaise, certain qu'il venait d'être appelé par son camarade au moment où il rendait l'esprit.

De cela il était sûr, comme on est sûr de vivre ou de manger du pain. Le vieux Gaspard Hari avait agonisé pendant deux jours et trois nuits quelque part, dans un trou, dans un de ces profonds ravins immaculés dont la blancheur est plus sinistre que les ténèbres des souterrains. Il avait agonisé pendant deux jours et trois nuits, et il venait de mourir tout à l'heure en pensant à son compagnon. Et son âme, à peine libre, s'était envolée vers l'auberge où dormait Ulrich, et elle l'avait appelé de par la vertu mystérieuse et terrible qu'ont les âmes des morts de hanter les vivants. Elle avait crié, cette âme sans voix, dans l'âme accablée du dormeur ; elle avait crié son adieu dernier, ou son reproche, ou sa malédiction sur l'homme qui n'avait point assez cherché.

Et Ulrich la sentait là, tout près, derrière le mur, derrière la porte[46] qu'il venait de refermer. Elle rôdait, comme un oiseau de nuit qui frôle de ses plumes une fenêtre éclairée ; et le jeune homme éperdu était prêt à hurler d'horreur. Il voulait s'enfuir et n'osait point sortir ; il n'osait point et n'oserait plus désormais, car le fantôme resterait là, jour et nuit, autour de l'auberge, tant que le corps du vieux guide n'aurait pas été retrouvé et déposé dans la terre bénite d'un cimetière.

Le jour vint et Kunzi reprit un peu d'assurance au retour brillant du soleil. Il prépara son repas, fit la soupe de son chien, puis il demeura sur une chaise, immobile, le cœur torturé, pensant au vieux couché sur la neige.

Puis, dès que la nuit recouvrit la montagne, des terreurs nouvelles l'assaillirent. Il marchait maintenant dans la cuisine noire, éclairée à peine par la flamme d'une chandelle, il marchait d'un bout à l'autre de la pièce, à grands pas, écoutant, écoutant si[47] le cri effrayant de l'autre nuit n'allait pas encore traverser le silence morne du dehors. Et il se sentait seul, le misérable, comme aucun homme n'avait jamais été seul ! Il était seul dans cet immense désert de neige, seul à deux mille mètres au-dessus de la terre habitée, au-dessus des maisons humaines, au-dessus de la vie qui s'agite, bruit et palpite, seul dans le ciel glacé ! Une envie folle le tenaillait de[48] se sauver n'importe où, n'importe comment, de descendre à Loëche en se jetant dans l'abîme ; mais il n'osait seulement pas ouvrir la porte, sûr que l'autre, le mort, lui barrerait la route, pour ne pas rester seul non plus là-haut.

Vers minuit, las de marcher, accablé d'angoisse et de peur, il s'assoupit enfin sur une chaise, car il redoutait son lit comme on redoute un lieu hanté.

Et soudain le cri strident de l'autre soir lui déchira les oreilles, si suraigu [49] qu'Ulrich étendit les bras pour repousser le revenant, et il tomba sur le dos avec son siège.

Sam, réveillé par le bruit, se mit à hurler comme hurlent les chiens effrayés, et il tournait autour du logis cherchant d'où venait le danger. Parvenu près de la porte, il flaira dessous, soufflant et reniflant avec force, le poil hérissé, la queue droite et grognant.

Kunzi, éperdu, s'était levé et [50], tenant par un pied sa chaise, il cria : « N'entre pas [51], n'entre pas, n'entre pas ou je te tue. » Et le chien, excité par cette menace, aboyait avec fureur contre l'invisible ennemi que défiait la voix de son maître.

Sam, peu à peu, se calma et revint s'étendre auprès du foyer, mais il demeurait inquiet, la tête levée, les yeux brillants et grondant entre ses crocs.

Ulrich, à son tour, reprit ses sens, mais comme il se sentait défaillir de terreur, il alla chercher une bouteille d'eau-de-vie dans le buffet, et il en but, coup sur coup, plusieurs verres. Ses idées devenaient vagues ; son courage s'affermissait ; une fièvre de feu glissait dans ses veines.

Il ne mangea guère le lendemain, se bornant à boire de l'alcool. Et pendant plusieurs jours de suite il vécut, saoul comme une brute. Dès que la pensée de Gaspard Hari lui revenait, il recommençait à boire jusqu'à l'instant où il tombait sur le sol, abattu par l'ivresse. Et il restait là, sur la face, ivre mort, les membres rompus, ronflant, le front par terre. Mais à peine avait-il digéré le liquide affolant et brûlant, que le cri toujours le même « Ulrich ! » le réveillait comme une balle qui lui aurait percé le crâne ; et il se dressait chancelant encore, étendant les mains pour ne point tomber, appelant Sam à son secours. Et le chien, qui semblait devenir fou comme son maître, se précipitait sur la porte, la grattait de ses griffes, la rongeait de ses longues dents blanches, tandis que le jeune homme, le col renversé, la tête en l'air, avalait à pleines gorgées, comme de l'eau fraîche après une course, l'eau-de-vie qui tout à l'heure endormirait de nouveau sa pensée, et son souvenir, et sa terreur éperdue.

En trois semaines, il absorba toute sa provision d'alcool. Mais cette saoulerie continue ne faisait qu'assoupir son épouvante qui se réveilla plus furieuse dès qu'il lui fut impossible de la calmer. L'idée fixe alors, exaspérée par un mois d'ivresse, et grandissant sans cesse dans l'absolue solitude, s'enfonçait en lui à la façon d'une vrille. Il marchait maintenant dans sa demeure ainsi qu'une bête en cage, collant son oreille à la porte pour écouter si l'autre était là, et le défiant, à travers le mur.

Puis, dès qu'il sommeillait, vaincu par la fatigue, il entendait la voix qui le faisait bondir sur ses pieds.

Une nuit enfin, pareil aux lâches poussés à bout, il se précipita sur la porte et l'ouvrit pour voir celui qui l'appelait et pour le forcer à se taire.

Il reçut en plein visage un souffle d'air froid qui le glaça jusqu'aux os et il referma le battant et poussa les verrous, sans remarquer que Sam s'était élancé dehors. Puis, frémissant, il jeta du bois au feu, et s'assit devant pour se chauffer ; mais soudain il tressaillit, quelqu'un grattait le mur en pleurant.

Il cria éperdu : « Va-t'en. » Une [52] plainte lui répondit, longue et douloureuse.

Alors tout ce qui lui restait de raison fut emporté par la terreur. Il répétait « Va-t'en » en tournant sur lui-même pour trouver un coin où se cacher. L'autre, pleurant toujours, passait le long de la maison en se frottant contre le mur. Ulrich s'élança vers le buffet de [53] chêne plein de vaisselle et de provisions, et, le soulevant avec une force surhumaine, il le traîna jusqu'à la porte, pour s'appuyer d'une barricade. Puis, entassant les uns sur [54] les autres tout ce qui restait de meubles, les matelas, les paillasses, les chaises, il boucha la fenêtre comme on fait lorsqu'un ennemi vous assiège.

Mais celui du dehors poussait maintenant de grands gémissements lugubres auxquels le jeune homme se mit à répondre par des gémissements pareils.

Et des jours et des nuits se passèrent sans qu'ils cessassent de hurler l'un et l'autre. L'un tournait sans cesse autour de la maison et fouillait la muraille de ses ongles avec tant de force qu'il semblait vouloir la démolir ; l'autre, au-dedans, suivait tous ses mouvements, courbé, l'oreille collée contre la pierre, et il répondait à tous ses appels par d'épouvantables cris.

Un soir, Ulrich n'entendit plus rien ; et il s'assit, tellement brisé de fatigue qu'il s'endormit aussitôt.

Il se réveilla sans un souvenir, sans une pensée, comme si toute sa tête se fût vidée pendant ce sommeil accablé. Il avait faim, il mangea.

. . . . . . . . . . . . . . . . . . . . . . . . . . . . . . . . . . . . . . . . . . . . . . . .

L'hiver était fini. Le passage de la Gemmi redevenait praticable ; et la famille Hauser se mit en route pour rentrer dans son auberge.

Dès qu'elles eurent atteint le haut de la montée les femmes grimpèrent sur leur mulet, et elles parlèrent des deux hommes qu'elles allaient retrouver tout à l'heure.

Elles s'étonnaient que l'un d'eux ne fût pas descendu quelques jours plus tôt, dès que la route était devenue possible, pour donner des nouvelles de leur long hivernage.

On aperçut enfin l'auberge encore couverte et capitonnée de neige. La porte et la fenêtre étaient closes ; un peu de fumée sortait du toit, ce qui rassura le père Hauser. Mais en approchant, il aperçut, sur le seuil, un squelette d'animal dépecé par les aigles, un grand squelette couché sur le flanc.

Tous l'examinèrent : « Ça doit être Sam », dit la mère. Et elle appela : « Hé, Gaspard. » Un cri répondit à l'intérieur[55], un cri aigu, qu'on eût dit poussé par une bête. Le père Hauser répéta : « Hé, Gaspard. » Un autre cri pareil au premier se fit entendre.

Alors les trois hommes, le père et les deux fils, essayèrent d'ouvrir la porte. Elle résista. Ils prirent dans l'étable vide une longue poutre comme bélier, et la lancèrent à toute volée. Le bois cria, céda, les planches volèrent en[56] morceaux ; puis un grand bruit ébranla la maison et ils aperçurent, dedans, derrière le buffet écroulé un homme debout, avec des cheveux qui lui tombaient aux épaules, une barbe qui lui tombait sur la poitrine, des yeux brillants et des lambeaux d'étoffe sur le corps.

Ils ne le reconnaissaient point, mais Louise Hauser s'écria : « C'est Ulrich, maman. » Et la mère constata que c'était Ulrich, bien que ses cheveux fussent blancs.

Il les laissa venir ; il se laissa toucher ; mais il ne répondit point aux questions qu'on lui posa ; et il fallut le conduire à Loëche où les médecins constatèrent qu'il était fou [57].

Et personne ne sut jamais ce qu'était devenu son compagnon.

La petite Hauser faillit mourir, cet été-là, d'une maladie de langueur qu'on attribua au froid de la montagne.

# LA NUIT[1]

## CAUCHEMAR[2]

J'aime la nuit avec passion. Je l'aime comme on aime son pays ou sa maîtresse, d'un amour instinctif, profond, invincible. Je l'aime avec tous mes sens, avec mes yeux qui la voient, avec mon odorat qui la respire, avec mes oreilles qui en écoutent le silence, avec toute ma chair que les ténèbres caressent. Les alouettes chantent dans le soleil, dans l'air bleu, dans l'air chaud, dans l'air léger des matinées claires. Le hibou fuit dans la nuit, tache noire qui passe à travers l'espace noir, et, réjoui, grisé par la noire immensité, il pousse son cri vibrant et sinistre.

Le jour me fatigue et m'ennuie. Il est brutal et bruyant. Je me lève avec peine, je m'habille avec lassitude, je sors avec regret, et chaque pas, chaque mouvement, chaque geste, chaque parole, chaque pensée me fatigue comme si je soulevais un écrasant fardeau.

Mais quand le soleil baisse, une joie confuse, une joie de tout mon corps m'envahit. Je m'éveille, je m'anime. À mesure que l'ombre grandit, je me sens tout autre, plus jeune, plus fort, plus alerte, plus heureux. Je la regarde s'épaissir, la grande ombre douce tombée du ciel : elle noie la ville, comme une onde insaisissable et impénétrable, elle cache, efface, détruit les couleurs, les formes, étreint les maisons, les êtres, les monuments de son imperceptible toucher.

Alors j'ai envie de crier de plaisir comme les chouettes, de courir sur les toits comme les chats ; et un impétueux, un invincible désir d'aimer s'allume dans mes veines.

Je vais, je marche, tantôt dans les faubourgs assombris, tantôt dans les bois voisins de Paris, où j'entends rôder mes sœurs les bêtes et mes frères les braconniers.

Ce qu'on aime avec violence finit toujours par vous tuer. Mais comment expliquer ce qui m'arrive ? Comment même faire comprendre que je puisse le raconter ? Je ne sais pas, je ne sais plus, je sais seulement que cela est. — Voilà.

Donc hier — était-ce hier ? — oui, sans doute, à moins que ce ne soit [3] auparavant, un autre jour, un autre mois, une autre année, — je ne sais pas. Ce doit être hier pourtant, puisque le jour ne s'est plus levé, puisque le soleil n'a pas reparu. Mais depuis quand la nuit dure-t-elle ? Depuis quand ?... Qui le dira ? qui le saura jamais ?

Donc hier, je sortis comme je fais tous les soirs, après mon dîner. Il faisait très beau, très doux, très chaud. En descendant vers les boulevards, je regardais au-dessus de ma tête le fleuve noir et plein d'étoiles découpé dans le ciel par les toits de la rue qui tournait et faisait onduler comme une vraie rivière ce ruisseau roulant des astres.

Tout était clair dans l'air léger, depuis les planètes jusqu'aux becs de gaz. Tant de feux brillaient là-haut et dans la ville que les ténèbres en semblaient lumineuses. Les nuits luisantes sont plus joyeuses que les grands jours de soleil.

Sur le boulevard, les cafés flamboyaient ; on riait, on passait, on buvait. J'entrai au théâtre, quelques instants ; dans quel théâtre ? je ne sais plus. Il y faisait si clair que cela m'attrista et je ressortis le cœur un peu assombri par ce choc de lumière brutale sur les ors du balcon, par le scintillement factice du lustre énorme de cristal, par la barrière du feu[4] de la rampe, par la mélancolie de cette clarté fausse et crue. Je gagnai les Champs-Élysées où les cafés-concerts semblaient des foyers d'incendie dans les feuillages. Les marronniers frottés de lumière jaune avaient l'air peints, un air d'arbres phosphorescents. Et les globes électriques, pareils à des lunes éclatantes et pâles, à des œufs de lune tombés du ciel, à des perles monstrueuses, vivantes, faisaient pâlir sous leur clarté nacrée, mystérieuse et royale les filets de gaz, de vilain gaz sale, et les guirlandes de verres de couleur.

Je m'arrêtai sous l'Arc de Triomphe pour regarder l'avenue, la longue et admirable avenue étoilée, allant vers Paris entre deux lignes de feux, et les astres ! Les astres là-haut, les astres inconnus jetés au hasard dans l'immensité où ils dessinent ces figures bizarres, qui font tant rêver, qui font tant songer.

J'entrai dans le Bois de Boulogne et j'y restai longtemps, longtemps. Un frisson singulier m'avait saisi, une émotion imprévue et puissante, une exaltation de ma pensée qui touchait à la folie.

Je marchai longtemps, longtemps. Puis je revins.

Quelle heure était-il quand je repassai sous l'Arc de Triomphe ? Je ne sais pas. La ville s'endormait, et des nuages, de gros nuages noirs s'étendaient lentement sur le ciel.

Pour la première fois je sentis qu'il allait arriver quelque chose d'étrange, de nouveau. Il me sembla qu'il faisait froid, que l'air s'épaississait, que la nuit, que ma[5] nuit bien-aimée, devenait lourde sur mon cœur. L'avenue était déserte, maintenant. Seuls, deux sergents de ville se promenaient auprès de la station des fiacres, et, sur la chaussée à peine éclairée par les becs de gaz qui paraissaient mourants, une file de voitures de légumes allait aux Halles. Elles allaient lentement, chargées de carottes, de navets et de choux. Les conducteurs dormaient, invisibles, les chevaux marchaient d'un pas égal, suivant la voiture précédente, sans bruit, sur le pavé de bois. Devant chaque lumière du trottoir, les carottes s'éclairaient en rouge, les navets s'éclairaient en blanc, les choux s'éclairaient en vert ; et elles passaient l'une derrière l'autre, ces voitures rouges, d'un rouge de feu, blanches d'un blanc d'argent, vertes d'un vert d'émeraude. Je les suivis, puis je tournai par la rue Royale et revins sur les boulevards. Plus personne, plus de cafés éclairés, quelques attardés seulement qui se hâtaient. Je n'avais jamais vu Paris aussi mort, aussi désert. Je tirai ma montre. Il était deux heures.

Une force me poussait, un besoin de marcher. J'allai donc jusqu'à la Bastille. Là, je m'aperçus que je n'avais jamais vu une nuit si sombre, car je ne distinguais pas même la colonne de Juillet, dont le Génie d'or était perdu dans l'impénétrable obscurité. Une voûte de nuages, épaisse comme l'immensité, avait noyé les étoiles, et semblait s'abaisser sur la terre pour l'anéantir.

Je revins. Il n'y avait plus personne autour de moi. Place du Château-d'Eau, pourtant, un ivrogne faillit me heurter, puis il disparut. J'entendis quelque temps son pas inégal et sonore. J'allais. À la hauteur du faubourg Montmartre un fiacre passa, descendant vers la Seine. Je l'appelai. Le cocher ne répondit pas. Une femme rôdait près de la rue Drouot : « Monsieur, écoutez donc. » Je hâtai le pas pour éviter sa main tendue. Puis plus rien. Devant le Vaudeville, un chiffonnier fouillait le ruisseau. Sa petite lanterne flottait au ras du sol. Je lui demandai : « Quelle heure est-il, mon brave ? »

Il grogna : « Est-ce que je sais ! J'ai pas de montre. »

Alors je m'aperçus tout à coup que les becs de gaz étaient éteints. Je sais qu'on les supprime de bonne heure, avant le jour, en cette saison, par économie ; mais le jour était encore loin, si loin de paraître !

« Allons aux Halles, pensai-je, là au moins je trouverai la [6] vie. »

Je me mis en route, mais je n'y voyais même pas pour [7] me conduire. J'avançais lentement, comme on fait dans un bois, reconnaissant les rues en les comptant.

Devant le Crédit Lyonnais, un chien grogna. Je tournai par la rue de Grammont, je me perdis ; j'errai, puis je reconnus la Bourse aux grilles de fer qui l'entourent. Paris entier dormait, d'un sommeil profond, effrayant. Au loin pourtant un fiacre roulait, un seul fiacre, celui peut-être qui avait passé devant moi tout à l'heure. Je cherchais à le joindre, allant vers le bruit de ses roues, à travers les rues solitaires et noires, noires, noires comme la mort.

Je me perdis encore. Où étais-je ? Quelle folie d'éteindre si tôt le gaz ! Pas un passant, pas un attardé, pas un rôdeur, pas un miaulement de chat amoureux. Rien.

Où donc étaient les sergents de ville ? Je me dis : « Je vais crier, ils viendront. » Je criai. Personne ne répondit.

J'appelai plus fort. Ma voix s'envola, sans écho, faible, étouffée, écrasée par la nuit, par cette nuit impénétrable.

Je hurlai : « Au secours ! au secours ! au secours ! »

Mon appel désespéré resta sans réponse. Quelle heure était-il donc ? Je tirai ma montre, mais je n'avais point d'allumettes. J'écoutai le tic-tac léger de la petite mécanique avec une joie inconnue et bizarre. Elle semblait vivre. J'étais moins seul. Quel mystère ! Je me remis en marche comme un aveugle, en tâtant les murs de ma canne, et je levais à tout moment les yeux vers le ciel, espérant que le jour allait enfin paraître ; mais l'espace était noir, tout noir, plus profondément noir que la ville.

Quelle heure pouvait-il être ? Je marchais, me semblait-il, depuis un temps infini, car mes jambes fléchissaient sous moi, ma poitrine haletait, et je souffrais de la faim horriblement.

Je me décidai à sonner à la première porte cochère. Je tirai le bouton de cuivre, et le timbre tinta dans la maison sonore ; il tinta étrangement comme si ce bruit vibrant eût été seul dans cette maison.

J'attendis, on ne répondit pas, on n'ouvrit point la porte. Je sonnai de nouveau; j'attendis encore, — rien!

J'eus peur! Je courus à la demeure suivante, et vingt fois de suite je fis résonner la sonnerie dans le couloir obscur où devait dormir le concierge. Mais il ne s'éveilla pas, — et j'allai plus loin, tirant de toutes mes forces les anneaux ou les boutons, heurtant de mes pieds, de ma canne et de mes mains les portes obstinément closes.

Et tout à coup, je m'aperçus que j'arrivais aux Halles. Les Halles étaient désertes, sans un bruit, sans un mouvement, sans une voiture, sans un homme, sans une botte de légumes ou de fleurs. — Elles étaient vides, immobiles, abandonnées, mortes!

Une épouvante me saisit, — horrible. Que se passait-il? Oh! mon Dieu! que se passait-il?

Je repartis. Mais l'heure? l'heure? qui me dirait l'heure? Aucune horloge ne sonnait dans les clochers ou dans les monuments. Je pensai : « Je vais ouvrir le verre de ma montre et tâter l'aiguille avec mes doigts. » Je tirai ma montre... elle ne battait plus... elle était arrêtée. Plus rien, plus rien, plus un frisson dans la ville, pas une lueur, pas un frôlement de son dans l'air. Rien! plus rien! plus même le roulement lointain du fiacre, — plus rien!

J'étais aux quais, et une fraîcheur glaciale montait de la rivière.

La Seine coulait-elle encore?

Je voulus savoir, je trouvai l'escalier, je descendis... Je n'entendais pas le courant bouillonner sous les arches du pont... Des marches encore... puis du sable... de la vase... puis de l'eau... j'y trempai mon bras... elle coulait... elle coulait... froide... froide... froide... presque gelée... presque tarie... presque morte.

Et je sentais bien que je n'aurais plus jamais la force de remonter... et que j'allais mourir là... moi aussi, de faim — de fatigue — et de froid.

# L'HOMME DE MARS[1]

J'étais en train de travailler quand mon domestique annonça :

— Monsieur, c'est un monsieur qui demande à parler à monsieur.

— Faites entrer.

J'aperçus un petit homme qui saluait. Il avait l'air d'un chétif maître-d'études à lunettes, dont le corps fluet n'adhérait de nulle part à ses vêtements trop larges.

Il balbutia :

— Je vous demande pardon, monsieur, bien pardon de vous déranger.

Je dis :

— Asseyez-vous, monsieur.

Il s'assit et reprit :

— Mon Dieu, monsieur, je suis très troublé par la démarche que j'entreprends. Mais il fallait absolument que je visse quelqu'un, il n'y avait que vous... que vous... Enfin, j'ai pris du courage... mais vraiment... Je n'ose plus.

— Osez donc, monsieur.

— Voilà, monsieur, c'est que, dès que j'aurai commencé à parler, vous allez me prendre pour un fou.

— Mon Dieu, monsieur, cela dépend de ce que vous allez me dire.

— Justement, monsieur, ce que je vais vous dire est

bizarre. Mais je vous prie de considérer que je ne suis pas fou, précisément par cela même que je constate l'étrangeté de ma confidence.

— Eh bien, monsieur, allez.

— Non, monsieur, je ne suis pas fou, mais j'ai l'air fou des hommes qui ont réfléchi plus que les autres et qui ont franchi un peu, si peu, les barrières de la pensée moyenne [2]. Songez donc, monsieur, que personne ne pense à rien dans ce monde. Chacun s'occupe de *ses* affaires, de *sa* fortune, de *ses* plaisirs, de *sa* vie enfin, ou de petites bêtises amusantes comme le théâtre, la peinture, la musique ou de la politique, la plus vaste des niaiseries, ou de questions industrielles. Mais qui donc pense ? qui donc ! Personne ! Oh ! je m'emballe ! Pardon. Je retourne à mes moutons.

Voilà cinq ans que je viens ici, monsieur. Vous ne me connaissez pas, mais moi je vous connais très bien... Je ne me mêle jamais au public de votre plage ou de votre casino. Je vis sur les falaises. J'adore positivement ces falaises d'Étretat. Je n'en connais pas de plus belles, de plus saines. Je veux dire saines pour l'esprit. C'est une admirable route entre le ciel et la mer, une route de gazon, qui court sur cette grande muraille de rochers blancs et qui vous promène au bord du monde, au bord de la terre, au-dessus de l'Océan. Mes meilleurs jours sont ceux que j'ai passés, étendu sur une pente d'herbes, en [3] plein soleil, à cent mètres au-dessus des vagues, à rêver. Me comprenez-vous ?

— Oui, monsieur, parfaitement.

— Maintenant, voulez-vous me permettre de vous poser une question ?

— Posez, monsieur.

— Croyez-vous que les autres planètes soient habitées ?

Je répondis sans hésiter et sans paraître surpris :

— Mais, certainement, je le crois.

Il fut ému d'une joie véhémente, se leva, se rassit, saisi par l'envie évidente de me serrer dans ses bras, et il s'écria :

— Ah! ah! quelle chance! quel bonheur! je respire! Mais comment ai-je pu douter de vous? Un
homme ne serait pas intelligent s'il ne croyait pas les
mondes habités. Il faut être un sot, un crétin, un idiot,
une brute, pour supposer que les milliards d'univers
brillent et tournent uniquement pour amuser et
étonner l'homme, cet insecte imbécile, pour ne pas
comprendre que la terre n'est rien qu'une poussière
invisible dans la poussière des mondes, que notre
système tout entier n'est rien que quelques molécules
de vie sidérale qui mourront bientôt. Regardez la voie
lactée, ce fleuve d'étoiles, et songez que ce n'est rien
qu'une tache dans l'étendue qui est *infinie*. Songez à
cela seulement dix minutes et vous comprendrez
pourquoi nous ne savons rien, nous ne devinons rien,
nous ne comprenons rien. Nous ne connaissons qu'un
point, nous ne savons rien au-delà, rien au dehors,
rien de nulle part, et nous croyons, et nous affirmons.
Ah[4]! ah! ah!!! S'il nous était révélé tout à coup, ce
secret de la grande vie ultra-terrestre, quel étonnement!... Mais non... mais non... je suis une bête à
mon tour, nous ne le comprendrions pas, car notre
esprit n'est fait que pour comprendre les choses de
cette terre; il ne peut s'étendre plus loin, il est limité,
comme notre vie, enchaîné sur cette petite boule, qui
nous porte, et il juge tout par comparaison. Voyez
donc, monsieur, comme tout le monde est sot, étroit
et persuadé de la puissance de notre intelligence, qui
dépasse à peine l'instinct des animaux. Nous n'avons
même pas la faculté de percevoir notre infirmité, nous
sommes faits pour savoir le prix du beurre et du blé,
et, au plus, pour discuter sur la valeur de deux
chevaux, de deux bateaux, de deux ministres ou de
deux artistes.

C'est tout. Nous sommes aptes tout juste à cultiver
la terre et à nous servir maladroitement de ce qui est
dessus. À peine commençons-nous à construire des
machines qui marchent, nous nous étonnons comme
des enfants à chaque découverte que nous aurions dû
faire depuis des siècles, si nous avions été des êtres

supérieurs. Nous sommes encore entourés d'inconnu,
même en ce moment où[5] il a fallu des milliers
d'années de vie intelligente pour soupçonner l'électricité.

Sommes-nous du même avis ?

Je répondis en riant :

— Oui, monsieur.

— Très bien, alors. Eh bien, monsieur, vous êtes-
vous quelquefois occupé de Mars ?

— De Mars ?

— Oui, de la planète Mars ?

— Non, monsieur.

— Vous ne la connaissez pas du tout ?

— Non, monsieur.

— Voulez-vous me permettre de vous en dire
quelques mots ?

— Mais oui, monsieur, avec grand plaisir.

— Vous savez sans doute que les mondes de notre
système, de notre petite famille, ont[6] été formés par la
condensation en globes d'anneaux gazeux primitifs,
détachés l'un après l'autre de la nébuleuse solaire ?

— Oui, monsieur.

— Il résulte de cela que les planètes les plus
éloignées sont les plus vieilles, et doivent être, par
conséquent, les plus civilisées. Voici l'ordre de leur
naissance : Uranus, Saturne, Jupiter, Mars, La Terre,
Vénus, Mercure. Voulez-vous admettre que ces planètes soient habitées comme la Terre ?

— Mais certainement. Pourquoi croire que la Terre
est une exception ?

— Très bien. L'homme de Mars étant plus ancien
que l'homme de la Terre... Mais je vais trop vite. Je
veux d'abord vous prouver que Mars est habité. Mars
présente à nos yeux à peu près l'aspect que la Terre
doit présenter aux observateurs martiaux. Les océans
y tiennent moins de place et y sont[7] plus éparpillés.
On les reconnaît à leur teinte noire parce que l'eau
absorbe la lumière, tandis que les continents la
réfléchissent. Les modifications géographiques sont
fréquentes sur cette planète et prouvent l'activité de sa

vie. Elle a des saisons semblables aux nôtres, des neiges aux pôles que l'on voit croître et diminuer suivant les époques. Son année est très longue, six cent quatre-vingt-sept jours terrestres, soit six cent soixante-huit jours martiaux décomposés comme suit : cent quatre-vingt-onze pour le printemps, cent quatre-vingt-un pour l'été, cent quarante-neuf pour l'automne et cent quarante-sept pour l'hiver. On y voit moins de nuages que chez nous. Il doit y faire par conséquent plus froid et plus chaud.

Je l'interrompis.

— Pardon, monsieur, mais étant[8] beaucoup plus loin que nous du soleil, il doit y faire toujours plus froid, me semble-t-il.

Mon bizarre visiteur s'écria avec une grande véhémence :

— Erreur, monsieur ! Erreur, erreur absolue ! Nous sommes, nous autres, plus loin du soleil en été qu'en hiver. Il fait plus froid sur le sommet du Mont-Blanc qu'à son pied. Je vous renvoie d'ailleurs à la théorie mécanique de la chaleur de Helmholtz[9] et de Schiaparelli[10]. La chaleur du sol dépend principalement de la quantité de vapeur d'eau que contient l'atmosphère. Voici pourquoi : le pouvoir absorbant d'une molécule de vapeur acqueuse est seize mille fois supérieur à celui d'une molécule d'air sec ; donc la vapeur d'eau est notre magasin de chaleur ; et Mars ayant moins de nuages doit être en même temps beaucoup plus chaud et beaucoup plus froid que la terre.

— Je ne le conteste plus.

— Fort bien. Maintenant, monsieur, écoutez-moi avec une grande attention, je vous prie.

— Je ne fais que cela, monsieur.

— Vous avez entendu parler des fameux canaux découverts en 1884 par M. Schiaparelli.

— Très peu.

— Est-ce possible ! Sachez donc qu'en 1884, Mars se trouvant en opposition et séparée de nous par une distance de vingt-quatre millions de lieues seulement,

M. Schiaparelli, un des plus éminents astronomes de notre siècle et un des observateurs les plus sûrs, découvrit tout à coup une grande quantité de lignes noires droites ou brisées suivant des formes géométriques constantes, et qui unissaient, à travers les continents, les mers de Mars ! Oui, oui, monsieur, des canaux rectilignes, des canaux géométriques, d'une largeur égale sur tout leur parcours des canaux construits par des êtres ! Oui, monsieur, la preuve que Mars est habitée, qu'on y vit, qu'on y pense, qu'on y travaille, qu'on nous regarde : comprenez-vous ; comprenez-vous ?

Vingt-six [11] mois plus tard, lors de l'opposition suivante on a revu ces canaux, plus nombreux, oui, monsieur. Et ils sont gigantesques, leur largeur n'ayant pas moins de cent kilomètres.

Je souris en répondant :

— Cent kilomètres de largeur. Il a fallu de rudes ouvriers pour les creuser.

— Oh, monsieur, que dites-vous là ? Vous ignorez donc que ce travail est infiniment plus aisé sur Mars que sur la Terre puisque la densité de ses matériaux constitutifs ne dépasse pas le soixante-neuvième des nôtres ! L'intensité de la pesanteur y atteint à peine le trente-septième de la nôtre.

Un kilogramme d'eau n'y pèse que trois cent soixante-dix grammes !

Il me jetait ces chiffres avec une telle assurance, avec une telle confiance de commerçant qui sait la valeur d'un nombre, que je ne pus m'empêcher de rire tout à fait et j'avais envie de lui demander ce que pèsent, sur Mars, le sucre et le beurre.

Il remua la tête.

— Vous riez monsieur, vous me prenez pour un imbécile après m'avoir pris pour un fou. Mais les chiffres que je vous cite sont ceux que vous trouverez dans tous les ouvrages spéciaux d'astronomie. Le diamètre est [12] presque moitié plus petit que le nôtre ; sa surface n'a que les vingt-six centièmes de [13] celle du globe ; son volume est six fois et demie plus petit que celui de la Terre et la vitesse de ses deux satellites prouve qu'il pèse dix fois moins que nous. Or, monsieur, l'intensité de la pesanteur dépendant de la masse et du volume, c'est-à-dire du poids et de la distance de la surface au centre, il en résulte indubitablement sur cette planète un état de légèreté qui y rend la vie toute différente, règle d'une façon inconnue pour nous les actions mécaniques et doit y faire prédominer les espèces ailées. Oui monsieur, l'Être Roi sur Mars a des ailes. Il vole, passe d'un continent à l'autre, se promène, comme un esprit, autour de son univers auquel le lie cependant l'atmosphère qu'il ne peut franchir, bien que...

Enfin, monsieur, vous figurez-vous cette planète couverte de plantes, d'arbres et d'animaux dont nous ne pouvons même soupçonner les formes, et habitée par de grands êtres ailés comme on nous a dépeint les anges ? Moi je les vois voltigeant au-dessus des plaines et des villes dans l'air doré qu'ils ont là-bas. Car on a cru autrefois que l'atmosphère de Mars était rouge comme la nôtre est bleue, mais elle est jaune, monsieur, d'un beau jaune doré.

Vous [14] étonnez-vous maintenant que ces créatures-là aient pu creuser des canaux larges de cent kilomètres ? Et puis songez seulement à ce que la science a fait chez nous depuis un siècle... depuis un siècle... et dites-vous que les habitants de Mars sont peut-être bien supérieurs à nous...

Il se tut brusquement, baissa les yeux, puis murmura d'une voix très basse :

— C'est maintenant que vous allez me prendre pour un fou... quand je vous aurai dit que j'ai failli les voir... moi... l'autre soir. Vous savez, ou vous ne savez pas, que nous sommes dans la saison des étoiles filantes. Dans la nuit du 18 au 19, surtout on en voit tous les ans d'innombrables quantités ; il est probable que nous passons à ce moment-là à travers les épaves d'une comète.

J'étais donc assis sur la Mane-Porte, sur cette énorme jambe de falaise qui fait un pas dans la mer et

je regardais cette pluie de petits mondes sur ma tête.
Cela est plus amusant et plus joli qu'un feu d'artifice,
monsieur. Tout à coup j'en aperçus un au-dessus de
moi, tout près, un globe lumineux transparent entouré
d'ailes immenses et palpitantes ou du moins j'ai cru
voir des ailes dans les demi-ténèbres de la nuit. Il
faisait des crochets comme un oiseau blessé, tournait
sur lui-même avec un grand bruit mystérieux, semblait haletant, mourant, perdu. Il passa devant moi.
On eût dit un monstrueux ballon de cristal, plein
d'êtres affolés à peine distincts mais agités comme
l'équipage d'un navire en détresse qui ne gouverne
plus et roule de vague en vague. Et le globe étrange,
ayant décrit une courbe immense, alla s'abattre au [15]
loin dans la mer, où j'entendis sa chute profonde
pareille au bruit d'un coup de canon.

Tout le monde, d'ailleurs, dans le pays entendit ce
choc formidable qu'on prit pour [16] un éclat de ton-
nerre. Moi seul j'ai vu... j'ai vu... S'ils étaient tombés
sur la côte près de moi nous aurions connu les
habitants de Mars. Ne dites pas un mot, monsieur,
songez, songez longtemps et puis racontez cela un jour
si vous voulez. Oui, j'ai vu... j'ai vu... le premier
navire aérien, le premier navire sidéral lancé dans
l'infini par [17] des êtres pensants... à moins que je n'aie
assisté simplement à la mort d'une étoile filante
capturée par la Terre. Car vous n'ignorez pas, monsieur, que les planètes chassent les mondes errants de
l'espace comme nous poursuivons ici bas les vagabonds. La Terre qui est légère et faible ne peut arrêter
dans leur route que les petits passants de l'immensité.

Il s'était levé exalté, délirant, ouvrant les bras pour
figurer la marche des astres.

— Les comètes, monsieur, qui rôdent sur les
frontières de la grande nébuleuse dont nous sommes
des condensations, les comètes, oiseaux libres et
lumineux viennent vers le soleil des profondeurs de
l'Infini.

Elles viennent traînant leur queue immense de
lumière vers l'astre rayonnant; elles viennent, accélé-

rant si fort leur course éperdue qu'elles ne peuvent joindre celui qui les appelle ; après l'avoir seulement frôlé elles sont rejetées à travers l'espace par la vitesse même de leur chute.

Mais si, au cours de leur voyage prodigieux, elles ont passé près d'une puissante planète, si elles ont senti, déviées de leur route, son influence irrésistible, elles reviennent alors à ce maître nouveau qui les tient désormais captives. Leur parabole illimitée se transforme en une courbe fermée et c'est ainsi que nous pouvons calculer le retour des comètes périodiques. Jupiter a huit esclaves. Saturne une, Neptune aussi en a une, et sa planète extérieure une également, plus une armée d'étoiles filantes... Alors... Alors... J'ai peut-être vu seulement la Terre arrêter un petit monde errant...

Adieu, monsieur, ne me répondez rien, réfléchissez, réfléchissez, et racontez tout cela un jour si vous voulez...

C'est fait. Ce toqué m'ayant paru moins bête qu'un simple rentier.

# L'ENDORMEUSE [1]

La Seine s'étalait devant ma maison, sans une ride, et vernie par le soleil du matin. C'était une belle, large, lente, longue coulée d'argent, empourprée par places ; et de l'autre côté du fleuve, de grands arbres alignés étendaient sur toute la berge une immense muraille de verdure.

La sensation de la vie qui recommence chaque jour, de la vie fraîche, gaie, amoureuse, frémissait dans les feuilles, palpitait dans l'air, miroitait sur l'eau.

On me remit les journaux que le facteur venait d'apporter et je m'en allai sur la rive, à pas tranquilles, pour les lire.

Dans le premier que j'ouvris, j'aperçus ces mots : « Statistique des suicidés » et j'appris que, cette année, plus de huit mille cinq cents êtres humains se sont tués [2].

Instantanément, je les vis ! Je vis ce massacre, hideux et volontaire, des désespérés las de vivre. Je vis des gens qui saignaient, la mâchoire brisée, le crâne crevé, la poitrine trouée par une balle, agonisant lentement, seuls dans une petite chambre d'hôtel, et sans penser à leur blessure, pensant toujours à leur malheur.

J'en vis d'autres, la gorge ouverte ou le ventre fendu, tenant encore dans leur main le couteau de cuisine ou le rasoir.

J'en vis d'autres, assis tantôt devant un verre où

trempaient des allumettes, tantôt devant une petite bouteille qui portait une étiquette rouge.

Ils regardaient cela avec des yeux fixes, sans bouger ; puis ils buvaient, puis ils attendaient ; puis une grimace passait sur leurs joues, crispait leurs lèvres, une épouvante égarait leurs yeux, car ils ne savaient pas qu'on souffrait tant avant la fin.

Ils se levaient, s'arrêtaient, tombaient ; et, les deux mains sur le ventre, ils sentaient leurs organes brûlés, leurs entrailles rongées par le feu du liquide, avant que leur pensée fût seulement obscurcie.

J'en vis d'autres pendus au clou du mur, à l'espagnolette de la fenêtre, au crochet du plafond, à la poutre du grenier, à la branche de l'arbre, sous la pluie du soir. Et je devinais tout ce qu'ils avaient fait avant de rester là, la langue tirée, immobiles. Je devinais l'angoisse de leur cœur, leurs hésitations dernières, leurs mouvements pour attacher la corde, constater qu'elle tenait bien, se la passer au cou et se laisser tomber.

J'en vis d'autres couchés sur des lits misérables, des mères avec leurs petits enfants, des vieillards crevant de faim, des jeunes filles déchirées par des angoisses d'amour, tous rigides, étouffés, asphyxiés, tandis qu'au milieu de la chambre fumait encore le réchaud de charbon.

Et j'en aperçus qui se promenaient dans la nuit sur les ponts déserts. C'étaient les plus sinistres. L'eau coulait sous les arches avec un bruit mou. Ils ne la voyaient pas... ils la devinaient en aspirant son odeur froide ! Ils en avaient envie et ils en avaient peur. Ils n'osaient point ! Pourtant, il le fallait. L'heure sonnait au loin à quelque clocher, et soudain dans le large silence des ténèbres, passaient, vite étouffés, le claquement d'un corps tombant dans la rivière, quelques cris, un clapotement d'eau battue avec des mains. Ce n'était parfois aussi que le clouf de leur chute quand ils s'étaient lié les bras ou attaché une pierre aux pieds.

Oh ! les pauvres gens, les pauvres gens, les pauvres gens, comme j'ai senti leurs angoisses, comme je suis mort de leur mort ! J'ai passé par toutes leurs misères ; j'ai subi, en une heure, toutes leurs tortures. J'ai su tous les chagrins qui les ont conduits là ; car je sens l'infamie trompeuse de la vie comme personne plus que moi, ne l'a sentie.

Comme je les ai compris, ceux qui, faibles, harcelés par la malchance[3], ayant perdu les êtres aimés, réveillés du rêve d'une récompense tardive, de l'illusion d'une autre existence où Dieu serait juste enfin, après avoir été féroce, et désabusés des mirages du bonheur, en ont assez et veulent finir ce drame sans trêve ou cette honteuse comédie.

Le suicide ! mais c'est la force de ceux qui n'en ont plus, c'est l'espoir de ceux qui ne croient plus, c'est le sublime courage des vaincus ! Oui, il y a au moins une porte à cette vie, nous pouvons toujours l'ouvrir et passer de l'autre côté. La nature a eu un mouvement de pitié ; elle ne nous a pas emprisonnés. Merci pour les désespérés !

Quant aux simples désabusés, qu'ils marchent devant eux l'âme libre et le cœur tranquille. Ils n'ont rien à craindre, puisqu'ils peuvent s'en aller ; puisque derrière eux est toujours cette porte que les dieux rêvés ne peuvent même fermer.

\*

Je songeais à cette foule de morts volontaires : plus de huit mille cinq cents en une année. Et il me semblait qu'ils s'étaient réunis pour jeter au monde une prière, pour crier un vœu, pour demander quelque chose, réalisable plus tard, quand on comprendra mieux. Il me semblait que tous ces suppliciés, ces égorgés, ces empoisonnés, ces pendus, ces asphyxiés, ces noyés, s'en venaient, horde effroyable, comme des citoyens qui votent, dire à la société : « Accordez-nous au moins une mort douce ! Aidez-nous à mourir, vous qui ne nous avez pas aidés à vivre ! Voyez, nous sommes nombreux ; nous avons le droit de parler en ces jours de liberté, d'indépendance

philosophique et de suffrage[4] populaire. Faites à ceux
qui renoncent à vivre l'aumône d'une mort qui ne soit
point répugnante ou effroyable. »

. . . . . . . . . . . . . . . . . . . . . . . . . . . . . . . . . . . . . . . . . . .

Je me mis à rêvasser, laissant ma pensée vagabon-
der sur ce sujet en des songeries bizarres et mystérieuses.

Je me crus, à un moment, dans une belle ville.
C'était Paris ; mais à quelle époque ? J'allais par les
rues, regardant les maisons, les théâtres, les établisse-
ments publics ; et voilà que, sur une place, j'aperçus
un grand bâtiment fort élégant, coquet et joli. Je fus
surpris ; car on lisait sur la façade, en lettres d'or
« œuvre de la mort volontaire ». Oh ! étrangeté des
rêves éveillés où l'esprit s'envole dans un monde irréel
et possible. Rien n'y étonne ; rien n'y choque ; et la
fantaisie débridée ne distingue plus le comique et le
lugubre.

Je m'approchai de cet édifice, où des valets en
culotte courte étaient assis dans un vestibule, devant
un vestiaire, comme à l'entrée d'un cercle.

J'entrai pour voir. Un d'eux, se levant, me dit :

— Monsieur désire ?

— Je désire savoir ce que c'est que cet endroit.

— Pas autre chose ?

— Mais non.

— Alors, monsieur veut-il que je le conduise chez
le secrétaire de l'œuvre ?

J'hésitais. J'interrogeai encore :

— Mais, cela ne le dérangera pas ?

— Oh ! non, monsieur, il est ici pour recevoir les
personnes qui désirent des renseignements.

— Allons, je vous suis.

Il me fit traverser des couloirs où quelques vieux
messieurs causaient ; puis je fus introduit dans un
beau cabinet, un peu sombre, tout meublé de bois
noir. Un jeune homme, gras, ventru, écrivait une
lettre en fumant un cigare dont le parfum me révéla la
qualité supérieure.

Il se leva. Nous nous saluâmes, et quand le valet fut parti, il demanda :

— Que puis-je pour votre service ?

— Monsieur, lui répondis-je, pardonnez-moi mon indiscrétion. Je n'avais jamais vu cet établissement. Les quelques mots inscrits sur la façade m'ont fortement étonné ; et je désirerais savoir ce qu'on y fait.

Il sourit avant de répondre, puis, à mi-voix, avec un air de satisfaction :

— Mon Dieu, monsieur, on tue proprement et doucement, je n'ose pas dire agréablement, les gens qui désirent mourir.

Je ne me sentis pas très ému, car cela me parut en somme naturel et juste. J'étais surtout étonné qu'on eût pu, sur cette planète à idées basses, utilitaires, humanitaires, égoïstes et coercitives de toute liberté réelle, oser une pareille entreprise, digne d'une humanité émancipée.

Je repris :

— Comment en êtes-vous arrivé là ?

Il répondit :

— Monsieur, le chiffre des suicides s'est tellement accru pendant les cinq années qui ont suivi l'Exposition universelle de 1889 que des mesures sont devenues urgentes[5]. On se tuait dans les rues, dans les fêtes, dans les restaurants, au théâtre, dans les wagons, dans les réceptions du président de la République, partout. C'était non seulement un vilain spectacle pour ceux qui aiment bien vivre comme moi, mais aussi un mauvais exemple pour les enfants. Alors il a fallu centraliser les suicides.

— D'où venait cette recrudescence ?

— Je n'en sais rien. Au fond, je crois que le monde vieillit. On commence à y voir clair, et on en prend mal son parti. Il en est aujourd'hui de la destinée comme du gouvernement. On sait ce que c'est ; on constate qu'on est floué partout : et on s'en va. Quand on a reconnu que la providence ment, triche, vole, trompe les humains comme un simple député ses électeurs, on se fâche, et comme on ne peut en nommer une autre tous les trois mois, ainsi que nous faisons pour nos représentants concussionnaires, on quitte la place, qui est décidément mauvaise.

— Vraiment !

— Oh ! moi, je ne me plains pas.

— Voulez-vous me dire comment fonctionne votre œuvre ?

— Très volontiers. Vous pourrez d'ailleurs en faire partie quand il vous plaira. C'est un cercle.

— Un cercle ! !...

— Oui, monsieur, fondé par les hommes les plus éminents du pays, par les plus grands esprits et les plus claires intelligences.

Il ajouta, en riant de tout son cœur :

— Et je vous jure qu'on s'y plaît beaucoup.

— Ici ?

— Oui, ici.

— Vous m'étonnez.

— Mon Dieu ! on s'y plaît parce que les membres du cercle n'ont pas cette peur de la mort qui est la grande gâcheuse de joies sur la terre.

— Mais alors, pourquoi sont-ils membres de ce cercle, s'ils ne se tuent pas ?

— On peut être membre du cercle sans se mettre pour cela dans l'obligation de se tuer.

— Mais alors ?

— Je m'explique. Devant le nombre démesurément croissant des suicides, devant les spectacles hideux qu'ils nous donnaient, s'est formée une société de pure bienfaisance, protectrice des désespérés, qui a mis à leur disposition une mort calme et insensible sinon imprévue.

— Qui donc a pu autoriser une pareille œuvre ?

— Le général Boulanger [6], pendant son court passage au pouvoir. Il ne savait rien refuser. Il n'a fait que cela de bon, d'ailleurs. Donc, une société s'est formée d'hommes clairvoyants, désabusés, sceptiques, qui ont voulu élever en plein Paris une sorte de temple du mépris de la mort. Elle fut d'abord, cette maison, un endroit redouté dont personne n'approchait. Alors, les fondateurs qui s'y réunissaient y ont donné une grande soirée d'inauguration avec M^mes Sarah Bernhardt, Judic, Théo, Granier et vingt autres; MM. de Reszké, Coquelin, Mounet-Sully, Paulus, etc., etc., puis des concerts, des comédies de Dumas, de Meilhac, d'Halévy, de Sardou. Nous n'avons eu qu'un four, une pièce de M. Becque, qui a semblé triste, mais qui a eu ensuite un très grand succès à la Comédie-Française[7]. Enfin tout Paris est venu. L'affaire était lancée.

— Au milieu des fêtes! Quelle macabre plaisanterie!

— Pas du tout. Il ne faut pas que la mort soit triste; il faut qu'elle soit indifférente. Nous avons égayé la mort, nous l'avons fleurie, nous l'avons parfumée, nous l'avons faite facile. On apprend à secourir par l'exemple; on peut voir, ça n'est rien.

— Je comprends fort bien qu'on soit venu pour les fêtes; mais est-on venu pour... Elle?

— Pas tout de suite: on se méfiait.

— Et plus tard?

— On est venu.

— Beaucoup?

— En masse. Nous en avons plus de quarante par jour. On ne trouve presque plus de noyés dans la Seine.

— Qui est-ce qui a commencé?

— Un membre du cercle.

— Un dévoué?

— Je ne crois pas. Un embêté, un décavé, qui avait eu des différences énormes au baccara, pendant trois mois.

— Vraiment?

— Le second a été un Anglais, un excentrique. Alors, nous avons fait de la réclame dans les journaux, nous avons raconté notre procédé, nous avons inventé des morts capables d'attirer. Mais le grand mouvement a été donné par les pauvres gens.

— Comment procédez-vous?

— Voulez-vous visiter ? Je vous expliquerai en même temps.

— Certainement.

Il prit son chapeau, ouvrit la porte, me fit passer, puis entrer dans une salle de jeu où des hommes jouaient comme on joue dans tous les tripots. Il traversait ensuite divers salons. On y causait vivement, gaiement. J'avais rarement vu un cercle aussi vivant, aussi animé, aussi rieur.

Comme je m'en étonnais :

— Oh ! reprit le secrétaire, l'œuvre a une vogue inouïe. Tout le monde chic de l'univers entier en fait partie pour avoir l'air de mépriser la mort. Puis, une fois qu'ils sont ici, ils se croient obligés d'être gais afin de ne pas paraître effrayés. Alors, on plaisante, on rit, on blague, on a de l'esprit et on apprend à en avoir. C'est certainement aujourd'hui l'endroit le mieux fréquenté et le plus amusant de Paris. Les femmes mêmes s'occupent en ce moment de créer une annexe pour elles.

— Et malgré cela, vous avez beaucoup de suicides dans la maison ?

— Comme je vous l'ai dit, environ quarante ou cinquante par jour.

Les gens du monde sont rares ; mais les pauvres diables abondent. La classe moyenne aussi donne beaucoup.

— Et comment... fait-on ?

— On asphyxie,... très doucement.

— Par quel procédé ?

— Un gaz de notre invention. Nous avons un brevet. De l'autre côté de l'édifice, il y a les portes du public. Trois petites portes donnant sur de petites rues. Quand un homme ou une femme se présente, on commence à l'interroger ; puis on lui offre un secours, de l'aide, des protections. Si le client accepte, on fait une enquête et souvent nous en avons sauvé.

— Où trouvez-vous l'argent ?

— Nous en avons beaucoup. La cotisation des membres est fort élevée. Puis il est de bon ton de donner à l'œuvre. Les noms de tous les donateurs sont imprimés dans le *Figaro*. Or, tout suicide d'homme riche coûte mille francs. Et ils meurent à la pose. Ceux des pauvres sont gratuits.

— Comment reconnaissez-vous les pauvres ?

— Oh! oh! monsieur, on les devine [8] ! Et puis, ils doivent apporter un certificat d'indigence du commissaire de police de leur quartier. Si vous saviez comme c'est sinistre, leur entrée !

J'ai visité une fois seulement cette partie de notre établissement, je n'y retournerai jamais. Comme local, c'est aussi bien qu'ici, presque aussi riche et confortable; mais eux... Eux!!! Si vous les voyiez arriver, les vieux en guenilles qui viennent mourir; des gens qui crèvent de misère depuis des mois, nourris au coin des bornes comme les chiens des rues; des femmes en haillons, décharnées, qui sont malades, paralysées, incapables de trouver leur vie et qui nous disent, après avoir raconté leur cas :

— Vous voyez bien que ça ne peut pas continuer, puisque je ne peux plus rien faire et rien gagner, moi.

J'en ai vu venir une de quatre-vingt-sept ans qui avait perdu tous ses enfants et petits-enfants, et qui depuis six semaines couchait dehors. J'en ai été malade d'émotion.

Puis, nous avons tant de cas différents, sans compter les gens qui ne disent rien et qui demandent simplement :

« Où est-ce ? » Ceux-là, on les fait entrer, et c'est fini tout de suite.

Je répétai, le cœur crispé :

— Et... où est-ce ?

— Ici.

Il ouvrit une porte en ajoutant :

— Entrez, c'est la partie spécialement réservée aux membres du cercle, et celle qui fonctionne le moins. Nous n'y avons eu encore que onze anéantissements.

— Ah! vous appelez cela un... anéantissement.

— Oui, monsieur. Entrez donc.

J'hésitais. Enfin j'entrai. C'était une délicieuse

galerie, une sorte de serre que des vitraux d'un bleu
pâle, d'un rose tendre, d'un vert léger, entouraient
poétiquement de paysages de tapisseries. Il y avait
dans ce joli salon des divans[9], de superbes palmiers,
des fleurs, des roses surtout, embaumantes, des livres
sur des tables, la *Revue des Deux Mondes*, des cigares
en des boîtes de la régie, et, ce qui me surprit, des
pastilles de Vichy dans une bonbonnière.

Comme je m'en étonnais :

— Oh! on vient souvent causer ici, dit mon guide.

Il reprit :

— Les salles du public sont pareilles, mais plus
simplement meublées.

Je demandai :

— Comment fait-on ?

Il désigna du doigt une chaise longue couverte de
crêpe de Chine crémeuse, à broderies blanches, sous
un grand arbuste inconnu, au pied duquel s'arrondis-
sait une plate-bande de réséda.

Le secrétaire ajouta d'une voix plus basse :

— On change à volonté la fleur et le parfum, car
notre gaz, tout à fait imperceptible, donne à la mort
l'odeur de la fleur qu'on aima. On le volatilise avec des
essences. Voulez-vous que je vous le fasse aspirer une
seconde ?

— Merci, lui dis-je vivement, pas encore.

Il se mit à rire.

— Oh! monsieur, il n'y a aucun danger. Je l'ai
moi-même constaté plusieurs fois.

J'eus peur de lui paraître lâche. Je repris :

— Je veux bien.

— Étendez-vous sur l'Endormeuse...

Un peu inquiet, je m'assis sur la chaise basse en
crêpe de Chine, puis je m'allongeai, et presque
aussitôt je fus enveloppé par une odeur délicieuse de
réséda. J'ouvris la bouche pour la mieux boire, car
mon âme déjà s'était engourdie, oubliait, savourait,
dans le premier trouble de l'asphyxie, l'ensorcelante
ivresse d'un opium enchanteur et foudroyant.

Je fus secoué par le bras.

— Oh ! oh ! monsieur, disait en riant le secrétaire, il me semble que vous vous y laissez prendre.

. . . . . . . . . . . . . . . . . . . . . . . . . . . . . . . . . . . . . . . . . . .

Mais une voix, une vraie voix, et non plus celle des songeries, me saluait avec un timbre paysan :

— Bonjour, M'sieu. Ça va-t-il ?

Mon rêve s'envola. Je vis la Seine claire sous le soleil, et, arrivant par un sentier, le garde champêtre du pays qui touchait de sa main droite son képi noir galonné d'argent. Je répondis :

— Bonjour, Marinel. Où allez-vous donc ?

— Je vas constater un noyé qu'on a repêché près des Morillons. Encore un qui s'a jeté dans le bouillon. Même qu'il avait retiré sa culotte pour s'attacher les jambes avec.

# QUI SAIT[1] ?

## I[2]

Mon Dieu ! Mon Dieu ! Je vais donc écrire enfin ce que m'est arrivé ! Mais le pourrai-je ? l'oserai-je ? cela est si bizarre, si inexplicable, si incompréhensible, si fou !

Si je n'étais sûr de ce que j'ai vu, sûr qu'il n'y a eu, dans mes raisonnements aucune défaillance, aucune erreur dans mes constatations, pas de lacune dans la suite inflexible de mes observations, je me croirais un simple halluciné, le jouet d'une étrange vision. Après tout, qui sait ?

Je suis aujourd'hui dans une maison de santé ; mais j'y suis entré volontairement, par prudence, par peur ! Un seul être connaît mon histoire. Le médecin d'ici. Je vais l'écrire. Je ne sais trop pourquoi ? Pour m'en débarrasser, car je la sens en moi comme un intolérable cauchemar.

La voici :

J'ai toujours été un solitaire, un rêveur, une sorte de philosophe isolé, bienveillant, content de peu, sans aigreur contre les hommes et sans rancune contre le ciel. J'ai vécu seul, sans cesse, par suite d'une sorte de gêne qu'insinue en moi la présence des autres. Comment expliquer cela ? Je ne le pourrais. Je ne refuse pas de voir le monde[3], de causer, de dîner avec des amis, mais lorsque je les sens depuis longtemps près de moi, même les plus familiers, ils me lassent, me fatiguent, m'énervent, et j'éprouve une envie grandissante, harcelante, de les voir partir ou de m'en aller, d'être seul.

Cette envie est plus qu'un besoin, c'est une nécessité irrésistible. Et si la présence des gens avec qui je me trouve continuait, si je devais, non pas écouter, mais entendre longtemps encore leurs conversations, il m'arriverait, sans aucun doute, un accident. Lequel ? Ah ! qui sait ? Peut-être une simple syncope ? oui ! probablement !

J'aime tant être seul que je ne puis même supporter le voisinage d'autres êtres dormant sous mon toit ; je ne puis habiter Paris parce que j'y agonise indéfiniment. Je meurs moralement, et suis aussi supplicié dans mon corps et dans mes nerfs par cette immense foule qui grouille, qui vit autour de moi, même quand elle dort. Ah ! le sommeil des autres m'est plus pénible encore que leur parole. Et je ne peux jamais me reposer, quand je sais, quand je sens, derrière un mur, des existences interrompues par ces régulières éclipses de la raison.

Pourquoi suis-je ainsi ! Qui sait ? La cause en est peut-être fort simple : je me fatigue très vite de tout ce qui ne se passe pas en moi. Et il y a beaucoup de gens dans mon cas.

Nous sommes deux races sur la terre. Ceux qui ont besoin des autres, que les autres distraient, occupent, reposent, et que la solitude harasse, épuise, anéantit, comme l'ascension d'un terrible glacier ou la traversée du désert[4], et ceux que les autres, au contraire, lassent, ennuient, gênent, courbaturent, tandis que l'isolement les calme, les baigne de repos dans l'indépendance et la fantaisie de leur pensée.

En somme, il y a là un normal phénomène psychique. Les uns sont doués pour vivre en dehors, les autres pour vivre en dedans. Moi, j'ai l'attention extérieure courte et vite épuisée, et dès qu'elle arrive à ses limites, j'en éprouve dans tout mon corps et dans toute mon intelligence, un intolérable malaise.

Il en est résulté que je m'attache, que je m'étais attaché beaucoup aux objets inanimés qui prennent, pour moi, une importance d'êtres, et que ma maison est devenue, était devenue, un monde où je vivais d'une vie solitaire et active, au milieu de choses, de meubles, de bibelots familiers, sympathiques à mes yeux comme des visages. Je l'en avais emplie peu à peu, je l'en avais parée, et je me sentais dedans, content, satisfait, bienheureux comme entre les bras d'une femme aimable dont la caresse accoutumée est devenue un calme et doux besoin.

J'avais fait construire cette maison dans un beau jardin qui l'isolait des routes, et à la porte d'une ville où je pouvais trouver, à l'occasion, les ressources de société dont je sentais, par moments, le désir. Tous mes domestiques couchaient dans un bâtiment éloigné, au fond du potager, qu'entourait un grand mur. L'enveloppement[5] obscur des nuits, dans le silence de ma demeure perdue, cachée, noyée sous les feuilles des grands arbres, m'était si reposant et si bon, que[6] j'hésitais chaque soir, pendant plusieurs heures, à me mettre au lit pour le savourer[7] plus longtemps.

Ce jour-là, on avait joué *Sigurd*[8] au théâtre de la ville. C'était la première fois que j'entendais ce beau drame musical et féerique, et j'y avais pris un vif plaisir.

Je revenais à pied, d'un pas allègre, la tête pleine de phrases sonores, et le regard hanté par de jolies visions. Il faisait noir, noir, mais noir au point que je distinguais à peine la grande route, et que je faillis, plusieurs fois, culbuter dans le fossé. De l'octroi chez moi, il y a un kilomètre environ, peut-être un peu plus, soit vingt minutes de marche lente. Il était une heure du matin, une heure ou une heure et demie ; le ciel s'éclaircit un peu devant moi et le croissant parut, le triste croissant du dernier quartier de la lune. Le croissant du premier quartier, celui qui se lève à quatre ou cinq heures du soir, est clair, gai, frotté d'argent, mais celui qui se lève après minuit est rougeâtre, morne, inquiétant ; c'est le vrai croissant

du Sabbat ? Tous les noctambules ont dû faire cette
remarque. Le premier, fût-il mince comme un fil,
jette une petite lumière joyeuse qui réjouit le cœur, et
dessine sur la terre des ombres nettes ; le dernier
répand à peine une lueur mourante, si terne qu'elle ne
fait presque pas d'ombres.

J'aperçus[9] au loin la masse sombre de mon jardin,
et je ne sais d'où me vint une sorte de malaise à l'idée
d'entrer là-dedans. Je ralentis le pas. Il faisait très
doux. Le gros tas d'arbres avait l'air d'un tombeau où
ma maison était ensevelie.

J'ouvris ma barrière et je pénétrai dans la longue
allée de sycomores, qui s'en allait vers le logis, arquée
en voûte comme un haut tunnel, traversant des
massifs opaques et contournant des gazons où les
corbeilles de fleurs plaquaient, sous les ténèbres
pâlies, des taches ovales aux nuances indistinctes.

En approchant de la maison, un trouble bizarre me
saisit. Je m'arrêtai. On n'entendait rien. Il n'y avait
pas dans les feuilles un souffle d'air. « Qu'est-ce que
j'ai donc ? » pensai-je. Depuis dix ans je rentrais ainsi
sans que jamais la moindre inquiétude m'eût effleuré.
Je n'avais pas peur. Je n'ai jamais eu peur, la nuit. La
vue d'un homme, d'un maraudeur, d'un voleur m'aurait jeté une rage dans le corps, et j'aurais sauté dessus
sans hésiter. J'étais armé, d'ailleurs. J'avais mon
revolver. Mais je n'y touchai point, car je voulais
résister à cette influence de crainte qui germait en
moi.

Qu'était-ce ? Un pressentiment ? Le pressentiment
mystérieux qui s'empare des sens des hommes quand
ils vont voir de l'inexplicable ? Peut-être ? Qui sait ?

A mesure que j'avançais, j'avais dans la peau des
tressaillements, et quand je fus devant le mur, aux
auvents clos, de ma vaste demeure, je sentis qu'il me
faudrait attendre quelques minutes avant d'ouvrir la
porte et d'entrer dedans. Alors, je m'assis sur un banc,
sous les fenêtres de mon salon. Je restai là, un peu
vibrant, la tête appuyée contre la muraille, les yeux
ouverts sur l'ombre des feuillages Pendant ces pre-

miers instants, je ne remarquai rien d'insolite autour
de moi. J'avais dans les oreilles quelques ronflements ;
mais cela m'arrive souvent. Il me semble parfois que
j'entends passer des trains, que j'entends sonner des
cloches, que j'entends marcher une foule.

Puis bientôt, ces ronflements devinrent plus distincts, plus précis, plus reconnaissables. Je m'étais
trompé. Ce n'était pas le bourdonnement ordinaire de
mes artères qui mettait dans mes oreilles ces rumeurs,
mais un bruit très particulier, très confus cependant,
qui venait, à n'en point douter, de l'intérieur de ma
maison.

Je le distinguais à travers le mur, ce bruit continu,
plutôt une agitation qu'un bruit, un remuement vague
d'un tas de choses, comme si on eût secoué, déplacé,
traîné doucement tous mes meubles.

Oh ! je doutai, pendant un temps assez long encore,
de la sûreté de mon oreille. Mais l'ayant collée contre
un auvent pour mieux percevoir ce trouble étrange de
mon logis, je demeurai convaincu, certain, qu'il se
passait chez moi quelque chose d'anormal et d'incompréhensible. Je n'avais pas peur, mais j'étais...
comment exprimer cela... effaré d'étonnement. Je
n'armai pas mon revolver — devinant fort bien que je
n'en avais nul besoin. J'attendis.

J'attendis longtemps, ne pouvant me décider à rien,
l'esprit lucide, mais follement anxieux. J'attendis,
debout, écoutant toujours le bruit qui grandissait, qui
prenait, par moments, une intensité violente, qui
semblait devenir un grondement d'impatience, de
colère, d'émeute mystérieuse.

Puis soudain, honteux de ma lâcheté, je saisis mon
trousseau de clefs, je choisis celle qu'il me fallait, je
l'enfonçai dans la serrure, je la fis tourner deux fois, et
poussant la porte de toute ma force, j'envoyai le
battant heurter la cloison.

Le coup sonna comme une détonation de fusil, et
voilà qu'à ce bruit d'explosion répondit, du haut en
bas de ma demeure, un formidable tumulte. Ce fut si
subit, si terrible, si assourdissant que je reculai de

quelques pas, et que, bien que le sentant toujours inutile, je tirai de sa gaine mon revolver.

J'attendis encore, oh! peu de temps. Je distinguais, à présent, un extraordinaire piétinement sur les marches de mon escalier, sur les parquets, sur les tapis, un piétinement, non pas de chaussures, de souliers humains, mais de béquilles, de béquilles de bois et de béquilles de fer qui vibraient comme des cymbales. Et voilà que j'aperçus tout à coup, sur le seuil de ma porte, un fauteuil, mon grand fauteuil de lecture, qui sortait en se dandinant. Il s'en alla par le jardin. D'autres le suivaient, ceux de mon salon, puis les canapés bas et [10] se traînant comme des crocodiles sur leurs courtes pattes, puis toutes mes chaises, avec des bonds de chèvres, et les petits tabourets qui trottaient comme des lapins.

Oh! quelle émotion! Je me glissai dans un massif où je demeurai accroupi, contemplant toujours ce défilé de mes meubles, car ils s'en allaient tous, l'un derrière l'autre, vite ou lentement, selon leur taille et leur poids. Mon piano, mon grand piano à queue, passa avec un galop de cheval emporté et un murmure de musique dans le flanc, les moindres objets glissaient sur le sable comme des fourmis, les brosses, les cristaux, les coupes, où le clair de lune accrochait des phosphorescences de vers luisants. Les [11] étoffes rampaient, s'étalaient en flaques à la façon des pieuvres de la mer. Je vis paraître mon bureau, un rare bibelot du dernier siècle, et qui contenait toutes les lettres que j'ai reçues, toute l'histoire de mon cœur, une vieille histoire dont j'ai tant souffert! Et dedans étaient aussi des photographies.

Soudain, je n'eus plus peur, je m'élançai sur lui et je le saisis comme on saisit un voleur, comme on saisit une femme qui fuit; mais il allait d'une course irrésistible, et malgré mes efforts, et malgré ma colère, je ne pus même ralentir sa marche. Comme je résistais en désespéré à cette force épouvantable, je m'abattis par terre en luttant contre lui. Alors, il me roula, me traîna sur le sable, et déjà les meubles, qui le suivaient, commençaient à marcher sur moi, piétinant mes jambes et les meurtrissant ; puis, quand je l'eus lâché, les autres passèrent sur mon corps ainsi qu'une charge de cavalerie sur un soldat démonté.

Fou d'épouvante enfin, je pus me traîner hors de la grande allée et me cacher de nouveau dans les arbres, pour regarder disparaître les plus infimes objets, les plus petits, les plus modestes, les plus ignorés de moi, qui m'avaient appartenu.

Puis j'entendis, au loin, dans mon logis sonore à présent comme les maisons vides, un formidable bruit de portes refermées. Elles claquèrent du haut en bas de la demeure, jusqu'à ce que celle du vestibule que j'avais ouverte moi-même, insensé, pour ce départ, se fut close, enfin, la dernière.

Je m'enfuis aussi, courant vers la ville, et je ne repris mon sang-froid que dans les rues, en rencontrant des gens attardés. J'allai sonner à la porte d'un hôtel où j'étais connu. J'avais battu, avec mes mains, mes vêtements, pour en détacher la poussière, et je racontai que j'avais perdu mon trousseau de clefs, qui contenait aussi celle du potager, où couchaient mes domestiques en une maison isolée, derrière le mur de clôture qui préservait mes fruits et mes légumes de la visite des maraudeurs.

Je m'enfonçai jusqu'aux yeux dans le lit qu'on me donna. Mais je ne pus dormir, et j'attendis le jour en écoutant bondir mon cœur. J'avais ordonné qu'on prévînt mes gens dès l'aurore, et mon valet de chambre heurta ma porte à sept heures du matin.

Son visage semblait bouleversé.

— Il est arrivé cette nuit un grand malheur, monsieur, dit-il.

— Quoi donc ?

— On a volé tout le mobilier de monsieur, tout, tout, jusqu'aux plus petits objets.

Cette nouvelle me fit plaisir. Pourquoi ? qui sait ? J'étais fort maître de moi, sûr de dissimuler, de ne rien dire à personne de ce que j'avais vu, de le cacher, de

l'enterrer dans ma conscience comme un effroyable
secret. Je répondis.

— Alors, ce sont les mêmes personnes qui m'ont
volé mes clefs. Il faut prévenir tout de suite la police.
Je me lève et je vous y rejoindrai dans quelques
instants.

L'enquête dura cinq mois. On ne découvrit rien, on
ne trouva ni le plus petit de mes bibelots, ni la plus
légère trace des voleurs. Parbleu ! Si j'avais dit ce que
je savais... Si je l'avais dit... on m'aurait enfermé,
moi, pas les voleurs, mais l'homme qui avait pu voir
une pareille chose.

Oh ! je sus me taire. Mais je ne remeublai pas ma
maison. C'était bien inutile. Cela aurait recommencé
toujours. Je n'y voulais plus rentrer. Je n'y rentrai
pas. Je ne la revis point.

Je vins à Paris, à l'hôtel, et je consultai des médecins
sur mon état nerveux qui m'inquiétait beaucoup
depuis cette nuit déplorable.

Ils m'engagèrent à voyager. Je suivis leur conseil.


II


Je commençai par une excursion en Italie. Le soleil
me fit du bien. Pendant six mois, j'errai de Gênes à
Venise, de Venise à Florence, de Florence à Rome, de
Rome à Naples. Puis je parcourus la Sicile, terre
admirable par sa nature et ses monuments, reliques
laissées par les Grecs et les Normands. Je passai en
Afrique, je traversai pacifiquement ce grand désert
jaune et calme, où errent des chameaux, des gazelles et
des Arabes vagabonds, où, dans l'air léger et transparent, ne flotte aucune hantise, pas plus la nuit que le
jour.

Je rentrai en France par Marseille, et malgré la
gaieté provençale, la lumière diminuée du ciel m'attrista. Je ressentis, en revenant sur le continent,
l'étrange impression d'un malade qui se croit guéri et

qu'une douleur sourde prévient que le foyer du mal n'est pas éteint.

Puis je revins à Paris. Au bout d'un mois, je m'y ennuyai. C'était à l'automne, et je voulus faire, avant l'hiver, une excursion à travers la Normandie, que je ne connaissais pas.

Je commençai par Rouen, bien entendu, et pendant huit jours, j'errai distrait, ravi, enthousiasmé, dans cette ville du Moyen Âge, dans ce surprenant musée d'extraordinaires monuments gothiques.

Or, un soir, vers quatre heures, comme je m'engageais dans une rue invraisemblable où coule une rivière noire comme de l'encre nommée « Eau de Robec », mon attention, toute fixée sur la physionomie bizarre et antique des maisons, fut détournée tout à coup par la vue d'une série de boutiques de brocanteurs qui se suivaient de porte en porte.

Ah ! ils avaient bien choisi leur endroit, ces sordides trafiquants de vieilleries, dans cette fantastique ruelle, au-dessus de ce cours d'eau sinistre, sous ces toits pointus de tuiles et d'ardoises où grinçaient encore les girouettes du passé !

Au fond des noirs magasins, on voyait s'entasser les bahuts sculptés, les faïences de Rouen, de Nevers, de Moustiers, des statues peintes, d'autres en chêne, des Christ, des [12] vierges, des saints, des ornements d'église, des chasubles, des chapes, même des vases sacrés et un vieux tabernacle en bois doré d'où Dieu avait déménagé. Oh ! les singulières cavernes en ces hautes maisons, en ces grandes maisons, pleines, des caves aux greniers, d'objets de toute nature, dont l'existence semblait finie, qui survivaient à leurs naturels possesseurs, à leur siècle, à leur temps, à [13] leurs modes, pour être achetés, comme curiosités, par les nouvelles générations.

Ma tendresse pour les bibelots se réveillait dans cette cité d'antiquaires. J'allais de boutique en boutique, traversant, en deux enjambées, les ponts de quatre planches pourries jetées sur le courant nauséabond de l'Eau de Robec.

Miséricorde ! Quelle secousse ! Une de mes plus belles armoires m'apparut au bord d'une voûte encombrée d'objets et qui semblait l'entrée des catacombes [14] d'un cimetière de meubles anciens. Je m'approchai tremblant de tous mes membres, tremblant tellement que je n'osais pas la toucher. J'avançais la main, j'hésitais. C'était bien elle, pourtant : une armoire Louis XIII unique, reconnaissable par quiconque avait pu la voir une seule fois. Jetant soudain les yeux un peu plus loin, vers les profondeurs plus sombres de cette galerie, j'aperçus trois de mes fauteuils couverts de tapisserie au petit point, puis, plus loin encore, mes deux tables Henri II, si rares qu'on venait les voir de Paris.

Songez ! songez à l'état de mon âme !

Et j'avançai, perclus, agonisant d'émotion, mais j'avançai, car je suis brave, j'avançai comme un chevalier des époques ténébreuses pénétrait en un séjour de sortilèges. Je retrouvais, de pas en pas, tout ce qui m'avait appartenu, mes lustres, mes livres, mes tableaux, mes étoffes, mes armes, tout, sauf le bureau plein de mes lettres, et que je n'aperçus point.

J'allais, descendant à des galeries obscures pour remonter ensuite aux étages supérieurs. J'étais seul. J'appelais, on ne répondait point. J'étais seul ; il n'y avait personne en cette maison vaste et tortueuse comme un labyrinthe.

La nuit vint, et je dus m'asseoir, dans les ténèbres, sur une de mes chaises, car je ne voulais point m'en aller. De temps en temps je criais : — Holà ! holà ! quelqu'un !

J'étais là, certes, depuis plus d'une heure quand j'entendis des pas, des pas légers, lents, je ne sais où. Je faillis me sauver ; mais, me raidissant, j'appelai de nouveau, et j'aperçus une lueur dans la chambre voisine.

— Qui est là ? dit une voix.

Je répondis :

— Un acheteur.

On répliqua :

— Il est bien tard pour entrer ainsi dans les boutiques.

Je repris :

— Je vous attends depuis plus d'une heure.

— Vous pouviez revenir demain.

— Demain, j'aurai quitté Rouen.

Je n'osais point avancer, et il ne venait pas. Je voyais toujours la lueur de sa lumière éclairant une tapisserie où deux anges volaient au-dessus des morts d'un champ de bataille. Elle m'appartenait aussi. Je dis :

— Eh bien ! Venez-vous ?

Il répondit :

— Je vous attends.

Je me levai et j'allai vers lui.

Au milieu d'une grande pièce était un tout petit homme, tout petit et très gros, gros comme un phénomène, un hideux phénomène.

Il avait une barbe rare, aux poils inégaux, clairsemés et jaunâtres, et pas un cheveu sur la tête ! Pas un cheveu ? Comme il tenait sa bougie élevée à bout de bras pour m'apercevoir, son crâne m'apparut comme une petite lune dans cette vaste chambre encombrée de vieux meubles. La figure était ridée et bouffie, les yeux imperceptibles.

Je marchandai trois chaises qui [15] étaient à moi, et les payai sur-le-champ une grosse somme, en donnant simplement le numéro de mon appartement à l'hôtel. Elles devaient être livrées le lendemain avant neuf heures.

Puis je sortis. Il me reconduisit jusqu'à sa porte avec beaucoup de politesse.

Je me rendis ensuite chez le commissaire central de la police, à qui je racontai le vol de mon mobilier et la découverte que je venais de faire.

Il demanda séance tenante des renseignements par télégraphe au parquet qui avait instruit l'affaire de ce vol, en me priant d'attendre la réponse. Une heure plus tard, elle lui parvint tout à fait satisfaisante pour moi.

— Je vais faire arrêter cet homme et l'interroger tout de suite, me dit-il, car il pourrait avoir conçu quelque soupçon et faire disparaître ce qui vous appartient. Voulez-vous aller dîner et revenir dans deux heures, je l'aurai ici et je lui ferai subir un nouvel interrogatoire devant vous.

— Très volontiers, monsieur. Je vous remercie de tout mon cœur.

J'allai dîner à mon hôtel, et je mangeai mieux que je n'aurais cru. J'étais assez content tout de même. On le tenait.

Deux heures plus tard, je retournai chez le fonctionnaire de la police qui m'attendait.

— Eh bien ! monsieur, me dit-il en m'apercevant. On n'a pas trouvé votre homme. Mes agents n'ont pu mettre la main dessus.

Ah ! Je me sentis défaillir.

— Mais... Vous avez bien trouvé sa maison ? demandai-je.

— Parfaitement. Elle va même être surveillée et gardée jusqu'à son retour. Quant à lui, disparu.

— Disparu ?

— Disparu. Il passe ordinairement ses soirées chez sa voisine, une brocanteuse aussi, une drôle de sorcière, la veuve Bidoin. Elle ne l'a pas vu ce soir et ne peut donner sur lui aucun renseignement. Il faut attendre demain [16].

Je m'en allai. Ah ! que les rues de Rouen me semblèrent sinistres, troublantes, hantées.

Je dormis si mal, avec des cauchemars à chaque bout de sommeil.

Comme je ne voulais pas paraître trop inquiet ou pressé, j'attendis dix heures, le lendemain, pour me rendre à la police.

Le marchand n'avait pas reparu. Son magasin demeurait fermé.

Le commissaire me dit :

— J'ai fait toutes les démarches nécessaires. Le parquet est au courant de la chose ; nous allons aller ensemble à cette boutique et la faire ouvrir, vous m'indiquerez tout ce qui est à vous.

Un coupé nous emporta. Des agents stationnaient, avec un serrurier, devant [17] la porte de la boutique, qui fut ouverte.

Je n'aperçus, en entrant, ni mon armoire, ni mes fauteuils, ni mes tables, ni rien, rien, de ce qui avait meublé ma maison, mais rien, alors que la veille au soir je ne pouvais faire un pas sans rencontrer un de mes objets.

Le commissaire central, surpris, me regarda d'abord avec méfiance.

— Mon Dieu, monsieur, lui dis-je, la disparition de ces meubles coïncide étrangement avec celle du marchand.

Il sourit :

— C'est vrai ! Vous avez eu tort d'acheter et de payer des bibelots à vous, hier. Cela lui a donné l'éveil.

Je repris :

— Ce qui me paraît incompréhensible, c'est que toutes les places occupées par mes meubles sont maintenant remplies par d'autres.

— Oh ! répondit le commissaire, il a eu toute la nuit, et des complices sans doute. Cette maison doit communiquer avec les voisines. Ne craignez rien, monsieur, je vais m'occuper très activement de cette affaire. Le brigand ne nous échappera pas longtemps puisque nous gardons la tanière.

. . . . . . . . . . . . . . . . . . . . . . . . . . . . . . . . . . . . . .

Ah ! mon cœur, mon cœur, mon pauvre cœur, comme il battait !

. . . . . . . . . . . . . . . . . . . . . . . . . . . . . . . . . . . . . .

Je demeurai quinze jours à Rouen. L'homme ne revint pas. Parbleu ! parbleu ! Cet homme-là qui est-ce qui aurait pu l'embarrasser ou le surprendre ?

Or, le seizième jour, au matin, je reçus de mon jardinier, gardien de ma maison pillée et demeurée vide, l'étrange lettre que voici :

« Monsieur,

« J'ai l'honneur d'informer monsieur qu'il s'est passé, la nuit dernière, quelque chose que personne ne comprend, et la police pas plus que nous. Tous les meubles sont revenus, tous sans exception, tous, jusqu'aux plus petits objets. La maison est maintenant toute [18] pareille à ce qu'elle était la veille du vol. C'est à en perdre la tête. Cela s'est fait dans la nuit de vendredi à samedi. Les chemins sont défoncés comme si on avait traîné tout de la barrière à la porte. Il en était ainsi le jour de la disparition.

« Nous attendons monsieur, dont je suis le très humble serviteur.

« RAUDIN, PHILIPPE. »

Ah ! mais non, ah ! mais non, ah ! mais non. Je n'y retournerai pas !

Je portai la lettre au commissaire de Rouen.

— C'est une restitution très adroite, dit-il. Faisons les morts. Nous pincerons l'homme un de ces jours.

. . . . . . . . . . . . . . . . . . . . . . . . . . . . . . . . . . . . . .

Mais on ne l'a pas pincé. Non. Ils ne l'ont pas pincé, et j'ai peur de lui, maintenant, comme si c'était une bête féroce lâchée derrière moi.

Introuvable ! il est introuvable, ce monstre à crâne de lune ! On ne le prendra jamais. Il ne reviendra point chez [19] lui. Que lui importe à lui. Il n'y a que moi qui peut le rencontrer, et je ne veux pas.

Je ne veux pas ! je ne veux pas ! je ne veux pas !

Et s'il revient, s'il rentre dans sa boutique, qui pourra prouver que mes meubles étaient chez lui ? Il n'y a contre lui que mon témoignage ; et je sens bien qu'il devient suspect.

Ah ! mais non ! cette existence n'était plus possible. Et je ne pouvais pas garder le secret [20] de ce que j'ai vu. Je ne pouvais pas continuer à vivre comme tout le monde avec la crainte que des choses pareilles recommençassent.

Je suis venu trouver le médecin qui dirige cette maison de santé, et je lui ai tout raconté.

Après m'avoir interrogé longtemps, il m'a dit :

— Consentiriez-vous, monsieur, à rester quelque temps ici ?

— Très volontiers, monsieur.

— Vous avez de la fortune ?

— Oui, monsieur.

— Voulez-vous un pavillon isolé ?

— Oui, monsieur.

— Voudrez-vous recevoir des amis ?

— Non, monsieur, non, personne. L'homme de Rouen pourrait oser, par vengeance, me poursuivre ici.

. . . . . . . . . . . . . . . . . . . . . . . . . . . . . . . . . . . . . . . . . . .

Et je suis seul, seul, tout seul, depuis trois mois. Je suis tranquille à peu près. Je n'ai qu'une peur... Si l'antiquaire devenait fou... et si on l'amenait en cet asile... Les prisons elles-mêmes ne sont pas sûres...

# NOTRE TEXTE

Tous les textes de ce volume ont paru du vivant de Maupassant. Comme il est difficile de savoir quels sont les derniers états corrigés par l'auteur — nous avons exposé ces difficultés dans l'introduction du *Horla* (GF 409) —, nous donnons la dernière publication en recueil et, pour les récits non recueillis par Maupassant, la première publication dans la presse périodique, nous conformant ainsi aux principes suivis par Louis Forestier dans son édition de la Pléiade. En établissant les variantes, nous avons tenu compte de toutes les autres publications, à l'exception de celles que Maupassant, déjà paralysé par la maladie, n'a pas pu voir.

# SIGLES

| | |
|---|---|
| *APL* | *Annales politiques et littéraires* |
| *EP* | *L'Écho de Paris* |
| *ES* | *L'Écho de la semaine* |
| *F* | *Le Figaro* |
| *G* | *Le Gaulois* |
| *GB* | *Gil Blas* |
| *II* | *L'Intransigeant illustré* |
| *L* | Supplément de *La Lanterne* |
| *LA* | *Les Lettres et les Arts* |
| *M4°, M8°* | *Clair de lune*, éditions Monnier in-4° et in-8° |
| *PJ* | Supplément du *Petit Journal* |
| *PN* | *Paris-Noël* |
| *RPT* | *Revue pour tous* |
| *V* | *Le Voleur* |
| *VF* | *La Vie de famille* |
| *VP* | *La Vie populaire* |

# NOTES

## LE PÈRE JUDAS

1. Paru dans *Le Gaulois* du 28 février 1883, *Le Père Judas* ne fut pas recueilli du vivant de l'écrivain.

Notons la contamination, mise au compte de l'imagination populaire, de deux légendes, celle du Juif errant et celle de Judas. À ces deux s'ajoute peut-être une troisième, puisque aucun de ces deux personnages n'a l'intérêt d'élever des cochons : leur religion interdit d'en manger.

## MADEMOISELLE COCOTTE

1. Publié dans le *Gil Blas* du 20 mars 1883, signé Maufrigneuse (nom emprunté à un personnage de Balzac), le récit a été recueilli dans *Clair de lune* (Paris, Monnier, 1884, deux éditions, in-4° et in-8°; Paris, Ollendorff, 1888), puis repris dans *L'Intransigeant illustré* du 16 avril 1891 et le supplément du *Petit Journal* du 29 août 1891. Notre texte est celui de *Clair de lune* (1888).

Maupassant reprend ici l'anecdote d'*Histoire d'un chien*, publiée pour soutenir les réclamations de la Société protectrice des animaux (fondée en 1845). Voici ce premier texte, paru dans *Le Gaulois* du 2 juin 1881 :

## HISTOIRE D'UN CHIEN

Toute la Presse a répondu dernièrement à l'appel de la Société protectrice des animaux, qui veut fonder un *Asile* pour les bêtes. Ce serait là une espèce d'hospice, et un refuge où les pauvres chiens sans maître trouveraient la nourriture et l'abri, au lieu du nœud coulant que leur réserve l'administration.

Les journaux, à ce propos, ont rappelé la fidélité des bêtes, leur intelligence, leur dévouement. Ils ont cité des traits de sagacité étonnante. Je veux à mon tour raconter l'histoire d'un chien perdu, mais d'un chien du commun, laid, d'allure vulgaire. Cette histoire, toute simple, est vraie de tout point.

*

Dans la banlieue de Paris, sur les bords de la Seine, vit une famille de bourgeois riches. Ils ont un hôtel élégant, grand jardin, chevaux et voitures, et de nombreux domestiques. Le cocher s'appelle François. C'est un gars de la campagne, à moitié dégourdi seulement, un peu lourdaud, épais, obtus, et bon garçon.

Comme il rentrait un soir chez ses maîtres, un chien se mit à le suivre. Il n'y prit point garde d'abord ; mais l'obstination de la bête à marcher sur ses talons le fit bientôt se retourner. Il regarda s'il connaissait ce chien : mais non, il ne l'avait jamais vu.

C'était une chienne d'une maigreur affreuse, avec de grandes mamelles pendantes. Elle trottinait derrière l'homme d'un air lamentable et affamé, la queue serrée entre les pattes, les oreilles collées contre la tête ; et, quand il s'arrêtait, elle s'arrêtait, repartant quand il repartait.

Il voulut chasser ce squelette de bête ; et cria : « Va-t'en, veux-tu te sauver, houe ! houe ! » Elle s'éloigna de deux ou trois pas, et se planta sur son derrière, attendant ; puis, dès que le cocher se remit en marche, elle repartit derrière lui.

Il fit semblant de ramasser des pierres. L'animal s'enfuit un peu plus loin, avec un grand ballottement de ses mamelles flasques ; mais il revint aussitôt que l'homme eut le dos tourné. Alors le cocher François l'appela. La chienne s'approcha timidement, l'échine pliée comme un cercle et toutes les côtes soulevant la peau. Il caressa ces os saillants, et, pris de pitié pour cette misère de bête : « Allons, viens ! » dit-il. Aussitôt elle remua la queue, se sentant accueillie, adoptée, et au lieu de rester dans les mollets du maître qu'elle avait choisi, elle commença à courir devant lui.

Il l'installa sur la paille de l'écurie, puis courut à la cuisine chercher du pain. Quand elle eut mangé tout son soûl, elle s'endormit, couchée en rond.

Le lendemain, les maîtres, avertis par le cocher, permirent qu'il gardât l'animal. Cependant la présence de cette bête dans la maison devint bientôt une cause d'ennuis incessants. Elle était assurément la plus dévergondée des chiennes ; et, d'un bout à l'autre de l'année, les prétendants à quatre pattes firent le siège de sa demeure. Ils rôdaient sur la route, devant la porte, se faufilaient par toutes les issues de la haie vive qui clôturait le jardin, dévastaient les plates-bandes, arrachant les fleurs, faisant des trous dans les corbeilles, exaspéraient le jardinier. Jour et nuit c'était un concert de hurlements et des batailles sans fin.

Les maîtres trouvaient jusque dans l'escalier, tantôt de petits roquets à queue empanachée, des chiens jaunes, rôdeurs de bornes, vivant d'ordures, tantôt des terre-neuve énormes à poils frisés, des caniches moustachus, tous les échantillons de la race aboyante.

La chienne, que François avait, sans malice, appelée « Cocote » (et elle méritait son nom), recevait tous ces hommages; et elle produisait, avec une fécondité vraiment phénoménale, des multitudes de petits chiens de toutes les espèces connues. Tous les quatre mois, le cocher allait à la rivière noyer une demi-douzaine d'êtres grouillants, qui piaulaient déjà et ressemblaient à des crapauds.

Cocote était maintenant devenue énorme. Autant elle avait été maigre, autant elle était obèse, avec un ventre gonflé sous lequel traînaient toujours ses longues mamelles ballottantes. Elle avait engraissé tout d'un coup, en quelques jours; et elle marchait avec peine, les pattes écartées, à la façon des gens trop gros, la gueule ouverte pour souffler, exténuée aussitôt qu'elle s'était promenée dix minutes.

Le cocher François disait d'elle : « C'est une bonne bête pour sûr, mais qu'est, ma foi, bien déréglée. »

Le jardinier se plaignait tous les jours. La cuisinière en fit autant. Elle trouvait des chiens sous son fourneau, sous les chaises, dans la soupente au charbon; et ils volaient tout ce qui traînait.

Le maître ordonna à François de se débarrasser de Cocote. Le domestique désespéré pleura, mais il dut obéir. Il offrit la chienne à tout le monde. Personne n'en voulut. Il essaya de la perdre; elle revint. Un voyageur de commerce la mit dans le coffre de sa voiture pour la lâcher dans une ville éloignée. La chienne retrouva sa route, et, malgré sa bedaine tombante, sans manger sans doute, en un jour, elle fut de retour; et elle rentra tranquillement se coucher dans son écurie.

\*

Cette fois, le maître se fâcha et, ayant appelé François, lui dit avec colère : « Si vous ne me flanquez pas cette bête à l'eau avant demain, je vous fiche à la porte, entendez-vous ! »

L'homme fut atterré, et il adorait Cocote. Il remonta dans sa chambre, s'assit sur son lit, puis fit sa malle pour partir. Mais il réfléchit qu'une place nouvelle serait impossible à trouver, car personne ne voudrait de lui tant qu'il traînerait sur ses talons cette chienne, toujours suivie d'un régiment de chiens. Donc il fallait s'en défaire. Il ne pouvait la placer. Il ne pouvait la perdre; la rivière était le seul moyen. Alors il pensa à donner vingt sous à quelqu'un pour accomplir l'exécution. Mais, à cette pensée, un chagrin aigu lui vint ; il réfléchit qu'un autre peut-être la ferait souffrir, la battrait en route, lui rendrait durs les derniers moments, lui laisserait comprendre qu'on voulait la tuer, car elle comprenait tout, cette bête ! — Et il se décida à faire la chose lui-même.

Il ne dormit pas. Dès l'aube, il fut debout, et, s'emparant d'une forte corde, il alla chercher Cocote. Elle se leva lentement, se secoua, étira ses membres et vint fêter son maître.

Alors il s'assit et, la prenant sur ses genoux, la caressa longtemps, l'embrassa sur le museau ; puis, se levant, il dit : « Viens. » Et elle remua la queue, comprenant qu'on allait sortir.

Ils gagnèrent la berge, et il choisit une place où l'eau semblait profonde.

Alors il noua un bout de la corde au cou de la bête, et, ramassant une grosse pierre, l'attacha à l'autre bout. Après quoi, il saisit sa chienne en ses bras et la baisa furieusement, comme une personne qu'on va quitter. Il la tenait serrée sur sa poitrine, la berçait ; et elle se laissait faire, en grognant de satisfaction.

Dix fois il la voulut jeter ; chaque fois la force lui manqua. Mais tout à coup il se décida et, de toute sa force, il la lança le plus loin possible. Elle flotta une seconde, se débattant, essayant de nager comme lorsqu'on la baignait : mais la pierre l'entraînait au fond ; elle eut un dernier regard d'angoisse, et sa tête disparut la première, pendant que ses pattes de derrière, sortant de l'eau, s'agitaient encore. Puis quelques bulles d'air apparurent à la surface. François croyait voir sa chienne se tordant dans la vase du fleuve.

*

Il faillit devenir idiot, et pendant un mois il fut malade, hanté par le souvenir de Cocote qu'il entendait aboyer sans cesse.

Il l'avait noyée vers la fin d'avril. Il ne reprit sa tranquillité que longtemps après. Enfin il n'y pensait plus guère, quand, vers le milieu de juin, ses maîtres partirent et l'emmenèrent aux environs de Rouen où ils allaient passer l'été.

Un matin, comme il faisait très chaud, François sortit pour se baigner dans la Seine. Au moment d'entrer dans l'eau, une odeur nauséabonde le fit regarder autour de lui, et il aperçut dans les roseaux une charogne, un corps de chien en putréfaction. Il s'approcha, surpris par la couleur du poil. Une corde pourrie serrait encore le cou. C'était sa chienne, Cocote, portée par le courant à soixante lieues de Paris.

Il restait debout avec de l'eau jusqu'aux genoux, effaré, boule-versé comme devant un miracle, en face d'une apparition venge-resse. Il se rhabilla tout de suite et, pris d'une peur folle, se mit à marcher au hasard devant lui, la tête perdue. Il erra tout le jour ainsi et, le soir venu, demanda sa route, qu'il ne retrouvait plus. Jamais depuis il n'a osé toucher un chien.

\*

Cette histoire n'a qu'un mérite : elle est vraie, entièrement vraie. Sans la rencontre étrange du chien mort, au bout de six semaines et à soixante lieues plus loin, je ne l'eusse point remarquée, sans doute ; car combien en voit-on tous les jours de ces pauvres bêtes sans abri !

Si le projet de la Société protectrice des animaux réussit, nous rencontrerons peut-être moins de ces cadavres à quatre pattes échoués sur les berges du fleuve.

2. *GB, M4°, M8°* : une élégante villa

3. *GB, Pʒ* : et quand il s'arrêtait elle s'arrêtait, repartant

4. *II* : s'arrêtait, repartait quand

5. *GB, Pʒ* : Il voulut chasser

6. *GB, Pʒ* : s'éloigna de deux ou trois pas

7. *Pʒ* : prit de pitié,

8. *Pʒ* : Mais, bientôt, on lui reconnut un défaut terrible. Elle traînait

9. *GB, M4°, M8°, Pʒ* : rien ne les

10. *GB, Pʒ* : queue panachée, des

11. *Pʒ* : Il l'avait nommée Cocote, et il répétait

12. *Pʒ* : était perdue. / Il (*Coquille.*)

13. *GB, Pʒ* : quitter la place.

14. *II* : ne valait pas ça ; et

15. *GB, M4°, M8°, Pʒ* : l'attacha à l'autre

16. *GB, Pʒ* : tout l'avant-corps s'enfonça,

17. Localité proche de Croisset.

18. *GB, Pʒ* : Seine et il

19. *GB, Pʒ* : elle est pas

20. *GB, Pʒ* : Elle est pas

21. *GB, M4°, M8°, Pʒ* : se sauva éperdument, tout

## APPARITION

1. Le récit parut dans *Le Gaulois* du 4 avril 1883, fut recueilli dans *Clair de lune* (Paris, Monnier, 1884, deux éditions, in-4° et in-8° ; Paris, Ollendorff, 1888), et repris dans le supplément de *La Lanterne* du 26 mai 1889, *Le Voleur* du 27 août 1891, *La Vie de famille* du 30 août 1891 avec le sous-titre *Nouvelle*, les *Annales politiques et littéraires* du 20 décembre 1891 sous la rubrique « Pages oubliées » et précédé de la notice suivante : « Des bruits alarmants, heureusement démentis, ont couru cette semaine sur la santé de M. Guy de Maupassant. Un journal annonçait que le grand écrivain, bouleversé par des crises nerveuses, venait d'être enfermé dans une maison de santé. Il n'en est rien... M. de Maupassant se trouve en ce moment à Cannes, où il poursuit ses travaux... A vrai dire, M. de Maupassant est doué d'une imagination puissante ; il ne déteste pas les sciences occultes, et se complaît assez volontiers dans

le domaine du fantastique et de l'étrange. La nouvelle suivante, que nous détachons d'un de ses derniers volumes, met en lumière cet aspect de son talent. Edgar Poe n'a rien écrit de plus troublant. » (Comme il est évident que Maupassant n'a pas vu les épreuves de cette dernière publication, nous n'en tenons pas compte.) Notre texte est celui de *Clair de lune* (1888).

L'anecdote est puisée dans un « Courrier de Paris » de Jules Lecomte, paru dans *L'Indépendance belge* du 17 janvier 1852.

2. Allusion au procès de M$^{lle}$ de Monasterio (mars 1883) que sa famille fit interner pour pouvoir disposer de sa fortune.

3. *V, VF :* chose étrange, qu'elle (*Coquille.*)

4. *V, VF :* sorte de bonheur. (*Coquille.*)

5. *V, VF :* lui-même. /« Il

6. *G :* le jour de

7. *V, VF :* d'aller chez (*Coquille.*)

8. *V, VF :* domaine situé (*Coquille.*)

9. *V, VF :* C'est bien (*Coquille probable.*)

10. *G :* yeux. / Il fut (*Coquille.*)

11. *G, M4°, M8° :* je cherchai dans

12. *G, M4°, M8° :* je lui remis

13. *G, M4°, M8° :* depuis la... la mort.

14. *G :* poignée du sabre
    *L :* la main sur mon sabre

15. *G, M4°, M8° :* à mon côté, mon sabre, je

16. *M4° :* nous s'écoule. / Je

17. *V, VF :* d'orgueil aussi, (*Coquille probable.*)

18. *G, M4° :* honorable. Je posais enfin ; je posais

19. *G, M4°, M8° :* affreusement. Je souffre toujours. Je

20. *G, M4°, M8° :* peigne de femme en

21. *G :* tordis, la renouai

22. *V, VF :* m'envahit, une panique des batailles.

23. *G, M4°, M8° :* plein de cheveux, de longs cheveux

24. *L :* soir et n'était pas

## LUI ?

1. Signé Maufrigneuse, *Lui ?* parut dans *Gil Blas*, le 3 juillet 1883, fut recueilli dans *Les Sœurs Rondoli* (Paris, Ollendorff, 1884) et repris dans le supplément du 8 août 1891 du *Petit Journal*. Notre texte est celui des *Sœurs Rondoli*.

2. *GB, PJ :* pas de dédicace.

Pierre Decourcelle (1856-1926) était auteur de romances populaires et de mélodrames. *Les Deux Gosses* ont connu l'une et l'autre formes.

3. *PJ :* comme une bêtise. *[Quatre phrases manquent.]* Et cependant

4. *GB :* (je n'ai pas avoué cette

5. *GB* : l'une l'autre
6. *GB* : de nouveau à regarder la
7. *GB* : il fallait sortir, me
8. Maupassant lui-même souffre de troubles oculaires.
9. *GB* : perdu la connaissance
10. *GB* : nom de D...! Je
11. *GB* : Qui, il? Je
    *PJ* : Qui, IL? Je

## L'ENFANT

1. Signé Maufrigneuse, *L'Enfant* parut dans *Gil Blas*, le 18 septembre 1883. Il ne fut pas recueilli du vivant de Maupassant.

Un autre récit portant le même titre parut dans *Le Gaulois* du 24 juillet 1882, puis fut recueilli dans *Clair de lune* (Paris, Monnier, 1884). Jacques Normand l'adapta pour la scène sous le titre *Musotte*; la pièce a été représentée au Gymnase le 4 mars 1891.

2. Dans la première phrase du récit Maupassant appelle « avortement » cet assassinat d'enfant.

3. Allusion aux débauches de Messaline, femme de l'empereur Claude, et aux passions de Catherine II de Russie.

4. L'absinthe et le safran provoquent la contraction de l'utérus. Ils étaient souvent utilisés à l'époque dans les tentatives d'avortement.

## SOLITUDE

1. Paru dans *Le Gaulois* du 31 mars 1884, *Solitude* fut recueilli dans *Monsieur Parent* (Paris, Ollendorff, 1886). Le manuscrit a figuré au catalogue de la vente Suzannet (Hôtel Drouot, 24 mai 1938); son propriétaire actuel est inconnu. Notre texte est celui de *Monsieur Parent*.

Dans le chapitre VI de *Bel-Ami*, le poète Norbert de Varenne fait à Duroy un discours semblable au monologue qui constitue l'essentiel de ce récit.

2. « Sermon sur la montagne », Matthieu V, 3 et Luc VI, 20.
3. *La Nuit de mai.*
4. L'origine de cette citation n'a pu être identifiée.
5. « Les Caresses », dans *Les Solitudes* (1869).

## LA CHEVELURE

1. Signé Maufrigneuse, le récit parut dans *Gil Blas*, le 13 mai 1884, fut recueilli dans *Toine* (Paris, C. Marpon et E. Flammarion,

1885) et repris dans *La Vie populaire* du 28 octobre 1886. Notre texte est celui de *Toine*.

Le texte de *Gil Blas* est précédé de la dédicace « A M. Boborykine ». Pierre Boborykine (1836-1921) était un écrivain et publiciste russe fort répandu dans les milieux littéraires parisiens, surtout parmi les naturalistes.

2. *GB :* sans soucis. / J'avais

3. Maupassant lui-même, ainsi que de nombreux artistes contemporains, avait ce goût pour les « vieux objets ».

4. *GB :* je pleure sur tous

5. Cet ébéniste n'a pas pu être identifié.

6. *GB :* on le va contempler

7. *GB :* eut trop plus

8. « Ballade des Dames du temps jadis », dans *Le Testament*. Nous avons respecté les graphies employées par Maupassant.

9. *GB :* ruisseau liquide et charmant

10. *GB :* dans ma couche, et

11. François Bertrand qui avait déterré des cadavres afin d'en user pour parvenir à la jouissance sexuelle, fut jugé en 1849. Depuis lors, son nom était attaché à la nécrophilie.

## LE TIC

1. *Le Tic* parut dans *Le Gaulois* du 14 juillet 1884 et fut repris dans *L'Écho de la semaine* du 15 février 1891, sous la rubrique « Histoire de la semaine ». Il ne fut pas recueilli du vivant de Maupassant. Notre texte est celui du *Gaulois*.

Maupassant a séjourné à Châtelguyon en 1883, puis en 1885. Le paysage volcanique ne cessait de le fasciner par son étrangeté et, aussi, par l'aspect sinistre, presque infernal qu'il prenait à ses yeux.

2. *GB :* très étrangers, un          *Nous reprenons la correction des publications ultérieures.*

3. En évoquant Poe, Maupassant semble reconnaître une dette : la parenté entre son récit et *La Chute de la maison Usher* est évidente.

4. *ES :* je détournai la

5. Maupassant écrit « Chatel-Guyon ». Nous corrigeons à regret : cela nous oblige à supprimer la majuscule de « Guy ».

6. Louis Forestier remarque (Pléiade, II, 1374) qu'il s'agit probablement de la gorge d'Enval.

7. Châtelguyon était recommandé pour le traitement des affections de l'estomac.

## PROMENADE

1. Le récit parut dans *Gil Blas*, le 27 mai 1884, signé Maufrigneuse, et fut recueilli dans *Yvette* (Paris, Victor Havard, 1885). Notre texte est celui d'*Yvette*.

2. *GB :* dans le petit bureau

3. *GB* : s'étaient ressemblées. A
   *Yvette* : s'étaient ressemblés. A          *Nous corrigeons.*
4. *GB* : mort des parents.
5. *GB* : sautillant et vieux ;
6. *GB* : effluves des sèves nouvelles, par les souffles de jeunesse
7. *GB* : marchand de vins pour
8. Cet air n'a pas été identifié.
9. *GB* : l'abordait : « Venez-vous
10. *GB* : Nom de D..., ce
11. *GB* : lui sembla que
12. *GB* : voitures passaient toujours.
13. *GB* : venait de faire un
14. *GB* : il lui faudrait
15. *GB* : versait une pluie de

## LA PEUR

1. *La Peur* parut dans *Le Figaro* du 25 juillet 1884, et fut repris dans *L'Écho de la semaine* du 31 août 1890 sous la rubrique « Histoire de la semaine ». Il ne fut pas recueilli du vivant de Maupassant. Notre texte est celui du *Figaro*.

Sous le même titre, Maupassant fit paraître un récit dans *Le Gaulois* du 23 octobre 1882, consacré à ce même sentiment difficile à définir qu'est la « vraie » peur. Ce texte a été recueilli dans *Les Contes de la bécasse*, volume publié en 1979 dans la présente collection (GF 272).

2. Maupassant fit la connaissance de Tourgueniev, en 1876, chez Flaubert. Il éprouvait pour lui un grand respect et une grande sympathie dont il témoigna à mainte occasion. Dans la chronique « Le Fantastique » (*Le Gaulois*, 7 octobre 1883), il rapporte aussi une anecdote racontée par l'écrivain russe.

3. Cette différence entre Tourgueniev, d'une part, et Hoffmann et Poe, de l'autre, est moins claire dans « Le Fantastique » où Maupassant affirme que tous les trois ont l'art de troubler le lecteur en ne faisant que coudoyer l'impossible.

4. *ES* : se mêle quelque chose

5. Tourgueniev s'est fait connaître par *Les Mémoires d'un chasseur* (1852).

6. Le choléra fut apporté à Toulon par l'équipage d'un navire fin juin 1884, puis apparut à Marseille, à Arles et, en juillet, à Paris. La peur a, en effet, provoqué des réactions excessives.

## LA TOMBE

1. *La Tombe* parut dans *Gil Blas*, le 29 juillet 1884, signé Maufrigneuse. Il ne fut pas recueilli du vivant de Maupassant.

2. Voir la note 11 de *La Chevelure*.

## UN FOU ?

1. Le récit parut dans *Le Figaro* du 1er septembre 1884. Il ne fut pas recueilli du vivant de Maupassant.

Le magnétisme et l'hypnose sont, à cette époque, des sujets à la mode. Notons cependant la valeur particulière qu'ils prennent ici : le magnétiseur est la victime de son propre pouvoir.

2. Les expériences hypnotiques de Charcot intéressaient vivement Maupassant. À ce propos voir aussi *Magnétisme*.

## UN CAS DE DIVORCE

1. Le récit parut dans *Gil Blas*, le 31 août 1886, fut recueilli dans *L'Inutile Beauté* (Paris, Victor Havard, 1890), et repris dans *La Vie populaire* du 14 décembre 1890 sous la rubrique « Histoire de la semaine ». Notre texte est celui de *L'Inutile Beauté*.

Si le rejet de « l'instinct bestial qui [...] force à continuer la race » accuse l'influence de Schopenhauer, le modèle de la perversion exposée dans ce récit a été fourni par Huysmans : Des Esseintes aimait aussi les orchidées.

2. Louis II de Bavière (1845-1886), célèbre comme constructeur de châteaux féeriques et comme mécène — de Wagner, en particulier —, s'étant détaché, pour des raisons pathologiques, mais aussi à la suite d'échecs politiques, de ses fonctions de chef d'État, fut interné le 12 juin 1886 dans son château de Berg où il mourut noyé le lendemain. L'affaire de la cantatrice Malvina Schnorr von Karolsfeld défrayait la chronique en France aussi, mais le geste du roi semble avoir été plutôt une réaction d'homosexuel qu'une expression du dégoût opposé à tout contact charnel.

3. *GB* : monde, enivraient de

4. *GB* : aux plaines. Et cinq ou six couleurs seulement pour séduire mes yeux. Et l'homme !...

5. Louis Forestier note (Pléiade, II, 1574) que Maupassant a pu lire ce vers de Lemierre (1723-1793), extrait du chant I des *Fastes* (1779), dans une « Chronique fantaisiste » de Grimsel, parue dans *Gil Blas*, le 1er août 1886.

6. *GB* : plus divine. / Je l'épouse. *[Ligne de points.]* Je l'épouse

7. *VP* : qui parle, qui sourit,

8. *GB* : Toutes les bêtes font autant sans savoir pourquoi ! *[P. 119, ligne 33.]* Rien n'est plus laid, plus affreux, plus répugnant, plus grotesque que cet acte — et plus fatal.

Il me fait horreur.

L'homme d'âme délicate ne pouvant l'éviter, l'a poétisé et l'a divinisé ; l'homme d'âme vulgaire l'a avili davantage en cherchant, en trouvant des pratiques plus immondes encore que celles dictées par la nature.

La Nature ! Dieu ! nommez comme il vous plaira cet inventeur sinistre et maladroit. Je hais ce grossier fabricant d'êtres et d'univers.

L'homme a trouvé l'amour, l'homme a créé la tendresse. Il a fait plus que Dieu. Mais Dieu, sournois, malfaisant, ironique, perfide, avait construit l'homme de telle sorte que l'amour, malgré l'effort de notre âme ne pouvait plus jamais être qu'une abominable chose.

Dieu avait prévu que l'homme rêverait. Il a dit : « Tu auras pour regarder l'univers le plus charmant des organes, l'œil plein d'infini. Tu auras pour te nourrir, la bouche qui goûte, qui comprend les arômes, les distingue, les préfère et te donnera toutes les jouissances des saveurs innombrables. Et cette bouche encore parlera, laissera couler ta pensée, sera la porte de ton intelligence, la porte harmonieuse et puissante par laquelle, si tu es fort, tu gouverneras [sic — coquille] les foules.

« Tu auras, pour nourrir ton sang avec l'air invisible et doux, l'odorat qui te donnera encore le plaisir délicieux et immatériel de t'enivrer par les parfums.

« Tu auras, pour écouter bruire le monde, crier les bêtes et parler les hommes, l'oreille, l'oreille qui, transformant en sons divins les vibrations insaisissables, ravagera ton cœur, affolera tes nerfs de musique. Tu goûteras par elle la joie la plus vibrante et la plus immatérielle qu'il te soit donné de sentir !...

« Mais pour l'amour... je ne te laisserai que les organes ridicules et honteux par où s'écoulent les ordures de ton corps !

« J'aurais pu les faire, ces organes destinés au triomphe des tendresses humaines, délicats et beaux, palpitant comme des ailes d'oiseau délicieusement frissonnants comme des cordes de violon, et odorants comme des fleurs.

« Regardez les fleurs et songez à ce que j'aurais pu faire. Les grandes fleurs roses, rouges, charnues, entr'ouvertes, plus tentantes que des bouches de femme, et profondes, avec des lèvres retournées, dentelées, grasses, et d'où sortent des parfums qui grisent comme des caresses.

« Car j'avais en mon pouvoir toutes les formes, toutes les grâces, toutes les nuances, et le parfum surtout.

« Et j'ai mêlé l'amour avec les déjections infâmes de ton ventre, avec ce qu'il y a de plus sale, de plus répugnant, de plus hideux dans l'être. Ai-je pas fait là une œuvre drôle, diabolique ? Je ne t'ai créé que pour m'amuser de toi, que pour te voir ouvrir les bras et tendre des lèvres assoiffées d'idéal vers d'innombrables saletés. Aime ! Je te regarde et je jouis de mon œuvre... Aime... je t'ai fait pour te voir aimer... Aime... et songe aux actes différents que tu accomplis à tout instant avec ces instruments d'amour qui sont aussi des égouts ! »

. . . . . . . . . . . . . . . . . . . . . . . . . . . . . . . . . . . . . . . . . . . . . . . . . . . . . . . . . . . . .

Je ne peux pas. Je ne peux plus ! j'éprouve, en approchant de ma femme une révolte de tout mon être. Devrait-on parler pour dire les adorations surhumaines ? Les mots câlins m'indignent comme les grossièretés. Seule la musique peut matérialiser ces songes ; ces attentes infinies, ces extases folles, parce qu'elle ne dit rien, parce qu'elle exprime par des sensations et non par des verbes, parce qu'elle parle la langue mystérieuse des esprits rêveurs et sensitifs.

Je ne peux plus sentir ma femme venir à moi, la bouche entr'ouverte et souriante. Le baiser de ses lèvres, autrefois, m'emportait dans le ciel. Elle fut souffrante, un jour, d'une fièvre passagère et je sentis, dans son haleine, le souffle léger, subtil, presque insaisissable, des pourritures humaines.

Je m'éloigne aujourd'hui de sa caresse comme d'une fange. Je préfère baiser des roses.

. . . . . . . . . . . . . . . . . . . . . . . . . . . . . . . . . . . . . . . . . . . . . . . . . . . . . . . .

*Fragments choisis.*

9. *GB* : frémissante, sensuelle, idéale,

10. *VP* : tendresses, et ces baisers sur la chair rouge,

11. *GB* : chair rouge, sur la chair odorante, fine,

12. *VP* : Celles-là, celles qui

13. *GB* : J'ai des serres où personne ne pénètre que moi et celui qui *les* soigne. / J'entre, comme on entre dans un lieu de plaisir charnel. Dans la haute galerie de verre je passe entre deux murailles fleuries qui vont de la terre au toit. Celles-là sont mes servantes et non mes favorites. / Elles me saluent au passage de leur parfum joyeux. Elles

14. *GB* : jardins en pente venant

15. *GB* : J'ai trois harems. *[P. 121, ligne 34.]* J'entre chez les orchidées, mes favorites. Leur chambre est basse, étouffante. L'air humide et chaud rend moite la peau, fait haleter la gorge et trembler les doigts. Elles viennent, ces filles étranges de pays marécageux, brûlants et malsains. Elles sont belles comme des sirènes mortelles, admirablement bizarres, énervantes, effrayantes. En voici qui sont des papillons avec des ailes énormes, des pattes minces, des yeux, et elles tremblent sur une tige pour s'envoler. J'ai peur d'elles. Si elles s'envolaient... Elles s'envolent quelquefois... Elles volent... elles volent... autour de moi... sur moi partout... avec un bruit doux, rapide, continu en semant dans l'air accablant un parfum qui fait défaillir l'âme.

En voici d'autres... celles que j'aime... Elles sont grasses, profondes, roses d'un rose qui mouille les lèvres de désir. Comme je les aime ! Le bord de leur calice, de leur bouche est frisé, plus pâle que leur gorge, et sucré sous la langue. Leur flanc se creuse, odorant et transparent, ouvert pour l'amour et plus tentant que toute la chair des femmes ! Comme je les aime ! Elles ont tous les charmes, toutes les grâces, toutes les formes qu'on peut rêver. Je n'en possède point deux qui soient pareilles ! Et je me tue, à les caresser.

. . . . . . . . . . . . . . . . . . . . . . . . . . . . . . . . . . . . . . . . . . . . . . . . . . . . . . . .

Messieurs les juges, dit l'avocat. La décence m'empêche de continuer à vous lire les singuliers aveux de ce fou honteusement idéaliste. Les quelques fragments que je viens de vous soumettre vous suffiront, je crois, pour apprécier ce cas de maladie mentale, moins rare qu'on ne pense dans notre époque de démence hystérique et de décadence corrompue.

Je pense donc, messieurs...

Il termina son plaidoyer au milieu d'un grand silence, tant avait paru surprenante au tribunal la manie de cet insensé.

*Fin du texte dans GB.*

## L'AUBERGE

1. Le récit parut dans *Les Lettres et les Arts* du 1er septembre 1886, fut recueilli dans *Le Horla* (Paris, Ollendorff, 1887) et repris dans *La Vie populaire* du 4 septembre 1887, la *Revue pour tous* du 19 et du 26 avril 1890 avec le sous-titre *Nouvelle*, *L'Intransigeant illustré* du 17 et du 24 décembre 1891. Notre texte est celui du *Horla*. Toutefois, comme la leçon des *Lettres et les Arts* semble souvent la meilleure, nous la reproduisons à certains endroits en signalant la correction.

En août 1877, Maupassant fit une cure thermale à Loèche, et ce fut pendant ce séjour qu'il connut les Alpes du Valais. Le paysage d'été qu'il y a admiré est décrit dans *Aux eaux*, publié dans *Le Gaulois* du 24 juillet 1883. Dans *L'Auberge*, il le transforme en paysage d'hiver.

2. Le passage de la Gemmi (2314 m d'altitude) commence à Kandersteg, dans l'Oberland bernois, et se termine à Loèche-les-Bains. Dans *Aux eaux*, Maupassant décrit la traversée.

3. *Le Horla* : Pendant 6 mois

4. Les noms Jean Hauser et Gaspard Hari rappellent, comme le remarque Louis Forestier (Pléiade, II, 1580-1581), celui de Gaspard Hauser (v. 1812-1833), personnage énigmatique qui, par son destin étrange — non seulement ses origines étaient inconnues, l'endroit où il a passé son enfance le fut aussi — et par ses traits pathologiques, a fasciné de nombreux écrivains du XIXe siècle.

5. *Le Horla* donne tantôt « Kunsi », tantôt « Kunzi », *L'Intransigeant illustré* également. La *Revue pour tous* donne partout « Kunsi », *Les Lettres et les Arts* « Kunzi ». C'est cette dernière orthographe, la plus correcte selon le système phonétique allemand, que nous adoptons.

6. *RPT :* cette maison de

7. *RPT :* devaient accompagner la

8. *Le Horla* : Wissehorn. *Nous rétablissons l'orthographe, correcte dans LA.*

9. *LA :* qu'il le devina

10. *LA :* ouvrirent la porte, Sam,

11. *LA :* de femmes maintenant,

12. *VP :* Il sortait dans

13. *VP :* et refaisaient le *[Coquille.]*

14. *LA :* de rochers n'était

15. *LA :* environs. Les maisons

16. *Tous les textes donnent* de Wildstrubel. *Nous corrigeons.*

17. Jeu de cartes appelé plus couramment « mariage ».

18. *RPT :* les ensevelissant peu

19. *VP :* dura quatre nuits.

20. *VP* : partagé la besogne qu'ils
21. *VP* : des nettoyages, de lavages, de tous les travaux de propreté.
22. *VP* : il partit. Le
23. *VP*, *RPT* : n'était pas
24. *LA* : rentrer vers quatre
25. *Tous les textes, excepté LA* : conduisaient à Wildstrubel. *Nous corrigeons selon LA.*
26. *LA* : allongé et montagnard
27. *LA* : noir ou mouvant
28. *LA* : prolongé. Sa voix
29. *II* : elle courut au loin, sur les vagues de la mer ; *(Coquille.)*
30. *LA* : enfoncé, là-bas, là-bas, derrière
31. *LA* : sang, roidir ses
32. *LA* : découvrir un compagnon
33. *LA* : étendu quelque part, dans
34. *LA* : saisi, roidi par
35. *RPT* : en cette immensité. / *(À suivre.)*     *Fin de la livraison du 19 avril 1890.*
36. *RPT* : L'AUBERGE / NOUVELLE / *(Suite et fin.)* / Ulrich Kunsi,     *Début de la livraison du 25 avril.*
37. *RPT* : tailler les degrés
38. *II* : se mettre en route. / *(À suivre.)*     *Fin de la livraison du 17 décembre 1891.*
39. *II* : L'AUBERGE / *(Suite et fin.)* / Quand l'horloge, *Début de la livraison du 24 décembre.*
40. *VP*, *RPT* : direction de Wildstrubel.
41. *LA* : océan de cimes pâles qui s'étendait à
42. *RPT* : chauffant leur corps
43. *LA* : étaient roides comme
44. *RPT* : palpitant d'émotion à le laisser choir dès qu'il
45. *LA* : solitude glacée, et
46. *RPT* : tout près, derrière la porte
47. *VP*, *II* : grands pas, écoutant si
48. *II* : le tenait de
49. *LA* : oreilles, si violent, si suraigu,
50. *LA* : s'était relevé, et,
51. *LA* : il criait : « N'entre pas,
52. *LA* : éperdu : « Va-t'en, va-t'en. » Une
53. *LA* : le buffet, le lourd buffet de
54. *LA* : entassant l'un sur
55. *LA* : répondit de l'intérieur,
56. *LA* : planches volaient en
57. *LA* : était devenu fou.


# LA NUIT

1. *La Nuit* parut dans *Gil Blas*, le 14 juin 1887, fut recueilli dans *Clair de lune* (Paris, Ollendorff, 1888), puis repris dans *La Vie*

*populaire* du 1<sup>er</sup> mars 1891 sous la rubrique « Histoire de la semaine ». Notre texte est celui de *Clair de lune*.

2. *VP : le sous-titre est supprimé.*
3. *GB, VP :* que ce soit
4. *GB, VP :* barrière de feu
5. *GB, VP :* nuit, ma
6. *GB, VP :* trouverai de la
7. *GB, VP :* voyais pas même pour

## L'HOMME DE MARS

1. *L'Homme de Mars* parut dans *Paris-Noël* 1887-1888, puis fut repris par les *Annales politiques et littéraires* du 30 juin 1889 sous la rubrique « Pages oubliées » et le supplément de *La Lanterne* du 10 octobre 1889. Il ne fut pas recueilli du vivant de Maupassant. Notre texte est celui des *Annales politiques et littéraires*, la dernière version qui semble avoir été revue par Maupassant. (C'est l'avis de Louis Forestier que nous suivons sur ce point. Cf. *Contes et Nouvelles*, t. II, p. 1656.)

Le conteur s'inspire principalement des ouvrages de Camille Flammarion : c'est dans *Les Terres du ciel* (1877) qu'il puise les renseignements sur la grandeur, la composition chimique et l'atmosphère de Mars, et c'est dans *La Pluralité des mondes habités* (1862) qu'il trouve l'idée de l'existence des habitants d'autres planètes, supérieurs à l'homme.

2. *PN :* la Pensée moyenne.
3. *PN :* pente d'herbe, en
4. *PN :* affirmons, et nous définissons Dieu ! Ah !
5. *PN :* en ce monde où
6. *PN :* petite Famille, ont
7. *PN :* place et sont
8. *PN :* monsieur, Mars étant
9. *L'original donne* Helmoltz. *Nous corrigeons.*
10. Hermann Ludwig Ferdinand von Helmholtz (1821-1894) énonça le principe de l'énergie et exposa les possibilités de sa transformation dès 1847, dans son ouvrage *Sur la conservation de l'énergie*. Giovanni Schiaparelli (1835-1910) a découvert en 1877 les « canaux » de Mars qui firent l'objet de nombreuses controverses ; il a aussi établi le trajet de certains essaims de météores, dont il sera question à la fin du récit.
11. *PN :* comprenez-vous ? / Il s'était approché, enfonçant dans mes yeux son regard fixe et brillant. Il reprit : / — Vingt-six
12. *PN :* diamètre de Mars est
13. *L :* vingt-six centimètres de        *(Coquille.)*
14. *PN :* jaune d'or. / Vous
15. *APL donne* alla s'ébattre au        *Nous corrigeons.*
16. *PN :* qu'on a pris pour
17. *PN :* dans l'Infini par

# L'ENDORMEUSE

1. *L'Endormeuse* parut dans *L'Écho de Paris* du 16 septembre 1889, puis fut repris dans *La Vie populaire* du 29 septembre 1889 et dans le supplément du 15 mai 1890 de *La Lanterne*. Notre texte est celui de *L'Écho de Paris*.

On a rapproché ce récit de *Suicide-Club* de Stevenson, mais Marie-Claire Bancquart (Maupassant : *Le Horla et autres Contes cruels et fantastiques*, p. 566) propose comme source plus probable une fausse information donnée par Fantasio en 1867, à l'occasion de la fête des Rois, dans la rubrique « Monde parisien » de *La Liberté* : il s'agit d'un « Club de suicidés », inauguré à Londres, où celui qui tire la fève lors de la fête des Rois, doit mourir parce que la fève est empoisonnée.

2. Louis Forestier (Pléiade, t. II, p. 1694) note que la statistique des suicides pour l'année 1887, parue au début d'août 1889, donne le chiffre de 8202.

3. Maupassant écrit « malechance ». Nous modernisons l'orthographe.

4. *VP :* philosophique, de suffrage

5. Inaugurée le 5 mai 1889, l'Exposition universelle, qui attira près de trente-trois millions de visiteurs, était la grande fête du progrès et de la prospérité. Les réactions de Maupassant sont hostiles, non seulement parce qu'il voit dans l'Exposition une manœuvre de propagande qui doit servir l'État, mais, surtout, parce qu'il refuse de croire aux bienfaits du progrès.

6. Le général Boulanger (1837-1891), nommé ministre de la Guerre en 1886, puis écarté du gouvernement à cause des réformes de l'armée qu'il entreprit, devint le représentant de l'opposition, et, soutenu par la Ligue des Patriotes, il fut en mesure de renverser la République par un coup d'État en janvier 1889. Son hésitation permit au gouvernement de prendre des mesures contre lui ; obligé de s'enfuir à l'étranger, il se donna la mort en 1891. Maupassant était, bien entendu, hostile à l'idée de la dictature qui s'associait à la personne du général Boulanger.

7. Sarah Bernhardt (1844-1923), la plus grande comédienne de l'époque, paraissait à des représentations particulières depuis qu'elle avait quitté en 1880 la Comédie-Française. Judic, Théo et Jeanne Granier triomphaient dans l'opérette, en particulier dans celles d'Offenbach. L'époque connut deux frères Reszké, artistes lyriques. Coquelin (il s'agit ici probablement de Constant, dit Coquelin aîné, 1841-1909) était un comédien très aimé du public, surtout dans les pièces de Beaumarchais, de Molière et, plus tard, d'Edmond Rostand. Mounet-Sully était le grand tragédien de la Comédie-Française. Paulus créa le 14 juillet 1886 « En r'venant d' la r'vue », la chanson qui consacra la popularité du général Boulanger. *Faucillon* d'Alexandre Dumas fils (1824-1895) a connu un grand succès en 1887, ainsi que *La Tosca* de Victorien Sardou (1831-1908), créée la même année. Henri Meilhac (1831-1897) et Ludovic Halévy

(1834-1908) devaient leur célébrité surtout aux livrets des opérettes d'Offenbach, qu'ils écrivaient ensemble. La pièce d'Henry Becque (1837-1899) dont il est question ici est probablement *Les Corbeaux*, jugée d'abord trop noire, puis représentée avec succès depuis 1882.

8. *VP* : on devine !

9. *L* : salon de divans,


## QUI  SAIT ?

1. Le récit parut dans *L'Écho de Paris* du 6 avril 1890, fut recueilli dans *L'Inutile Beauté* (Paris, Victor Havard, 1890), et repris par *La Vie populaire* du 28 décembre 1890 sous la rubrique « Histoire de la semaine », le supplément de *La Lanterne* du 15 mars 1891, et les *Annales politiques et littéraires* du 19 février 1893, précédé de l'avertissement suivant : « Des bruits sinistres ont couru cette semaine sur l'état de Guy de Maupassant. Nous sommes heureux d'offrir à nos lecteurs une des dernières pages qu'il ait écrites. On trouvera peut-être, en cet étrange récit, la première influence du mal qui terrasse aujourd'hui l'éminent et malheureux écrivain. » De cette dernière publication nous ne tenons pas compte. Notre texte est celui de *L'Inutile Beauté*.

2. *Dans EP et L la division est supprimée.*

3. *EP, L* : voir du monde,

4. *EP*, traversée de désert,
   *L* : traversée d'un désert,

5. *EP, L* : mur ; et l'enveloppement

6. *EP, L* : si reposante et si bonne, que

7. *L* : pour la savourer

8. *Sigurd*, opéra de Reyer, fut créé à Bruxelles, et représenté à Paris la première fois le 12 juin 1885. Il fut fort apprécié du public français.

9. *VP* : pas d'ombre. / J'aperçus

10. *EP* : puis le canapé bas et

11. *EP, L* : vers luisantés. Les

12. *EP, L* : des christs, des

13. *EP, L* : à leurs siècles, à leurs temps, à

14. *EP, L* : l'entrée de catacombes

15. *EP, L* : trois choses qui

16. *L* : attendre à demain.

17. *L* : stationnaient devant

18. *EP, L* : est redevenue toute

19. *L* : reviendra pas chez

20. *EP, L* : garde ce secret

# BIBLIOGRAPHIE

## ÉDITIONS

Les œuvres parues du vivant de Maupassant auxquelles nous avons eu recours sont indiquées dans les notes de ce volume.

*Œuvres complètes*

*Œuvres complètes illustrées de Guy de Maupassant.* Paris, Ollendorff, 1899-1904 et 1912. 29 vol. Cette édition a été reprise par Albin Michel.

*Œuvres complètes de Guy de Maupassant,* avec une étude de Pol Neveux. Paris, Conard, 1907-1910. 29 vol.

*Œuvres complètes illustrées de Guy de Maupassant,* préface, notices et notes de René Dumesnil. Paris, Librairie de France, 1934-1938. 15 vol.

MAUPASSANT : *Œuvres complètes,* texte établi et présenté par Gilbert Sigaux. Lausanne, Rencontre, 1961-1962. 16 vol.

MAUPASSANT : *Œuvres complètes,* avant-propos, avertissement et préfaces par Pascal Pia, chronologie et bibliographie par Gilbert Sigaux. Évreux, Le Cercle du bibliophile, 1969-1971. 17 vol. A cette édition s'ajoutent 3 vol. de *Correspondance,* établie par Jacques Suffel, 1973.

*Contes et Nouvelles*

MAUPASSANT : *Contes et Nouvelles,* textes présentés, corrigés, classés et augmentés de pages inédites par Albert-Marie Schmidt, avec la collaboration de Gérard Delaisement. Paris, Albin Michel, 1964-1967. 2 vol.

MAUPASSANT : *Contes et Nouvelles,* préface d'Armand Lanoux, introduction, chronologie, texte établi et annoté par Louis Forestier. Paris, Gallimard, « Bibliothèque de la Pléiade », 1974-1979. 2 vol.


*Contes fantastiques*

*Le Maupassant du Horla,* édition présentée par Pierre Cogny. Paris, Lettres Modernes, Minard, 1970.

MAUPASSANT : *Contes fantastiques,* préface d'Anne Richter. Paris, Marabout, 1973.

MAUPASSANT : *Le Horla et autres Contes cruels et fantastiques,* introduction, chronologie, bibliographie, notes et dossier de l'œuvre par Marie-Claire Bancquart. Paris, Garnier Frères, « Classiques Garnier », 1976.

## BIBLIOGRAPHIES

TALVART et PLACE : *Bibliographie des auteurs modernes de langue française.* Paris, la Chronique des Lettres françaises, t. XIII, 1956, p. 247-325.

DELAISEMENT Gérard : *Maupassant journaliste et chroniqueur, suivi d'une bibliographie générale de l'œuvre de Maupassant.* Paris, Albin Michel, 1956.

ANON. : *Index to the Short Stories of Guy de Maupassant.* Boston, G. K. Hall, 1960.

ARTINIAN Artine : *Maupassant Criticism in France, 1880-1940 : with an Inquiry into his Present Fame and a Bibliography*. New York, Russel and Russel, 1941, 2ᵉ éd. 1969.

MONTENS Frans : *Bibliographie van geschriften over Guy de Maupassant*. Leyde, Bange Duivel, 1976.

FORESTIER Louis : « Bibliographie » dans Maupassant : *Contes et Nouvelles*, t. II, p. 1725-1745.

## ÉTUDES GÉNÉRALES, BIOGRAPHIQUES ET CRITIQUES, SUR MAUPASSANT

ARTINIAN Artine : *Pour et contre Maupassant, enquête internationale. 147 témoignages inédits*. Paris, Nizet, 1955.

BESNARD-COURSODON Micheline : *Étude thématique et structurale de l'œuvre de Maupassant : le piège*. Paris, Nizet, 1973.

BONNEFIS Philippe : *Comme Maupassant*. Presses Universitaires de Lille, 1981.

CASTELLA Charles : *Structures romanesques et vision sociale chez Maupassant*. Lausanne, L'Age d'homme, 1972.

COGNY Pierre : *Maupassant l'homme sans Dieu*. Bruxelles, La Renaissance du Livre, 1958.

DUMESNIL René : *Guy de Maupassant*. Paris, Armand Colin, 1933 ; Paris, Tallandier, 1947.

FRATANGELO Antonio et Mario : *Guy de Maupassant scrittore moderno*. Florence, Olschki, 1976.

GREIMAS Algridas Julien : *Maupassant. La sémiotique du texte : exercices pratiques*. Paris, Seuil, 1976.

LANOUX Armand : *Maupassant le Bel-Ami*. Paris, Fayard, 1967.

LEMOINE Fernand : *Guy de Maupassant*. Paris, Éditions Universitaires, 1957.

MAYNIAL Édouard : *La Vie et l'Œuvre de Guy de Maupassant*. Paris, Mercure de France, 1906.

MORAND Paul : *La vie de Guy de Maupassant*. Paris, Flammarion, 1941 ; réédition 1958.

PARIS Jean : « Maupassant et le contre-récit » dans *Le Point aveugle. Univers parallèles II. Poésie, Roman*. Paris, Seuil, 1975.

SCHMIDT Albert-Marie : *Maupassant par lui-même*. Paris, Seuil, 1962.

STEEGMÜLLER Francis : *Maupassant*. Londres, Collins, 1950.

TASSART François : *Souvenirs sur Guy de Maupassant par François, son valet de chambre*. Paris, Plon-Nourrit, 1911.
*Nouveaux souvenirs intimes sur Guy de Maupassant* (inédits), texte établi, annoté et présenté par Pierre Cogny. Paris, Nizet, 1962.

THORAVAL Jean : *L'Art de Maupassant d'après ses variantes*. Paris, Imprimerie Nationale, 1950.

TOGEBY Knud : *L'Œuvre de Maupassant*. Copenhague, Danish Science Press ; Paris, Presses Universitaires de France, 1954.

VIAL André : *Guy de Maupassant et l'art du roman*. Paris, Nizet, 1954.
*Faits et significations*. Paris, Nizet, 1973.

WILLI Kurt : *Déterminisme et liberté chez Guy de Maupassant*. Zurich, Juris, 1972.

Colloque de Cerisy : *Le Naturalisme*. Paris, Union Générale d'Édition, « 10/18 », 1978.

*Europe*, numéro spécial *Guy de Maupassant*, juin 1969.

## ÉTUDES SUR LA MALADIE DE MAUPASSANT

BOREL Pierre et FONTAINE Léon : *Le Destin tragique de Guy de Maupassant, d'après des documents originaux*. Paris, Éditions de France, 1927.

COGNY Pierre : « Dix-neuf lettres inédites de Maupassant au docteur Grancher », *Revue d'Histoire litté-raire de la France*, 1974/1.

DELPIERRE Guillaume : *Étude psychopathologique sur Guy de Maupassant*. Paris, Imprimerie V. Hello, 1939.

GABEL Joseph : *Génie et folie chez Guy de Maupassant*. Paris, Jouve, 1940.

LUMBROSO Alberto : *Souvenirs sur Maupassant, sa dernière maladie, sa mort*. Rome, Boca, 1905.

MAURIENNE Jean : *Maupassant est-il mort fou ? Consi-dérations médicales et littéraires sur la vie et la mort de Guy de Maupassant*. Paris, Gründ, 1947.

MORIN-GAUTIER Francine : *La Psychiatrie dans l'œu-vre littéraire de Guy de Maupassant*. Paris, Jouve, 1944.

MOUSSARIE Pierre : « Sur une tentative de suicide de Guy de Maupassant », *Revue de la haute Auvergne*, 1961/1.

NORMANDY Georges : *La Fin de Maupassant*. Paris, Albin Michel, 1927.

PILLET Maurice : *Le Mal de Maupassant*. Paris, Maloine, 1911.

THOMAS Louis : *La Maladie et la mort de Maupassant*, Paris, Messin, 1912.

VALLERY-RADOT Pierre : « La Maladie de Maupas-sant », *Le Fureteur médical*, janvier 1964.

VIAL André : « L'internement de Maupassant (docu-ments inédits) », *Bulletin du Bibliophile et du Bibliothécaire*, 1950/1.

VOIVENEL Paul et LAGRIFFE Louis : *Sous le signe de la P.G. La Folie de Guy de Maupassant*. Paris, Renais-sance du Livre, 1929.

# ÉTUDES SUR LE FANTASTIQUE DE MAUPASSANT

BANCQUART Marie-Claire : *Maupassant conteur fantas-tique*. Paris, Lettres Modernes, Minard, 1976.

CASTELLA Charles : « Une divination sociologique : les contes fantastiques de Maupassant (1875-1891) », dans « Agencer un univers nouveau », textes réunis par Louis Forestier. Paris, Lettres Modernes, Minard, 1976.

CASTEX Pierre-Georges : *Le Conte fantastique en France de Nodier à Maupassant*. Paris, Corti, 1951.

MORRIS D. Hampton : « Variations on a Theme. Five Tales of Horror by Maupassant », *Studies in Short Fiction*, 1980/4.

PASCO Allan H. : « The Evolution of Maupassant's Supernatural Stories », *Symposium*, 1969/2.

PENNING Dieter : « Die Begriffe der Überwirklichkeit. Nerval, Maupassant, Breton », dans *Phantastik in Literatur und Kunst*, éd. Christian W. Thomsen et Jens Malte Fischer. Darmstadt, Wissenschaftliche Buchgesellschaft, 1980.

SAVINIO Alberto : *Maupassant et l'« Autre »*, traduit par Michel Arnaud. Paris, Gallimard, 1977.

SCHURIG-GEICK Dorothea : *Studien zum modernen « Conte fantastique » Maupassants und ausgewählten Autoren des XX. Jahrhunderts*. Heidelberg, Carl Winter, 1970.

VIAL André : « Le Lignage clandestin de Maupassant conteur fantastique », *Revue d'histoire littéraire de la France*, 1973/6.

# CHRONOLOGIE
### (Cette chronologie a été établie
### par Pierre COGNY.)

**1850** (5 août) : Naissance d'Henry, René, Albert, *Guy*
de Maupassant. Le lieu de la naissance pose encore
des problèmes. On penche aujourd'hui pour
Fécamp (rue Sous-le-Bois, où habitait la famille de
sa mère), mais certains biographes tiennent toujours pour le château de Miromesnil (Seine-Mari-
time). Son père, Gustave de Maupassant, né en
1821, avait épousé Laure Le Poittevin, née également en 1821, le 9 novembre 1846.

**1851** : Baptême de Guy à Tourville-sur-Arques.

**1854** : Installation de la famille au château de Grain-
ville-Ymauville, canton de Goderville, arrondisse-
ment du Havre.

**1856** : Naissance d'Hervé de Maupassant, frère de
Guy.

**1858-1863** : Séparation de Gustave et Laure de Maupassant. Laure vit avec ses deux fils à Étretat, dans
sa villa Les Verguies. D'amiable, la séparation des
époux devient officielle au début de 1863.

**1863-1867** : Guy est élève au séminaire d'Yvetot
(classes de 6e-2e) où il s'ennuie prodigieusement. Il
se plaint à ses correspondants d'une atmosphère
religieuse étouffante.

Au cours de ses vacances à Étretat, il porte secours au poète anglais Swinburne qui, pour le remercier, l'invite chez un de ses compatriotes. Guy remarque, au mur, une main d'écorché qui reviendra plusieurs fois dans son œuvre (*La Main d'écorché*, *L'Anglais d'Étretat*, *La Main*).

**1868** : Guy achève sa rhétorique au lycée de Rouen. Il a pour correspondant le poète Louis Bouilhet, poète alors apprécié et grand ami de Flaubert.

**1869** (18 juillet) : Mort de Louis Bouilhet.
(27 juillet) : Guy est reçu à son baccalauréat à la faculté de Caen. Octobre-novembre : installation à Paris, où il s'inscrit à la Faculté de Droit.

**1870** : Guerre franco-prussienne. Mobilisé, Maupassant se montre excellent soldat. Profondément patriote, il est effondré par la succession de nos défaites et, malgré tout, jusqu'au désastre de Sedan (septembre), il espérera une victoire finale. Libéré des obligations militaires en 1871, il retourne à la vie civile, ayant engrangé des souvenirs qui feront la trame de quelques-uns de ses meilleurs contes. La guerre devait être pour lui une obsession véritable et une source d'inspiration féconde.

**1872** (7 janvier) : Maupassant fait une demande pour entrer au ministère de la Marine et des Colonies.
(16 janvier) : On lui répond par la négative.
(20 février) : Il adresse une seconde requête.
(20 mars) : Le contre-amiral Krantz, chef d'état-major, informe son protecteur, l'amiral Saisset, que le candidat pourra entrer, à titre provisoire et gratuit, dans l'administration centrale.
(17 octobre) : Maupassant entre à la Direction des Colonies en qualité de surnuméraire non rétribué. Il commence alors ses parties de canotage sur la Seine avec ses camarades (cf. *Mouche*). De nombreuses nouvelles ont été inspirées par ces sorties

joyeuses auxquelles sa correspondance, jusqu'en 1880, fait de fréquentes allusions.

**1873** (1ᵉʳ février) : Guy commence à être appointé (125 F par mois et une gratification annuelle de 150 F). Il gagne surtout l'occasion de nouvelles observations sur le petit monde des employés de bureau, que l'on retrouve dans maint récit, comme les *Dimanches d'un bourgeois de Paris,* dont la publication commence dans *Le Gaulois* du 31 mai 1880.

**1874** : Maupassant est un fidèle des dimanches de Flaubert, rue Murillo. C'est l'occasion de rencontres avec Goncourt, Tourguéniev, Daudet, Zola, Heredia, Huysmans, Alexis, Céard. Chez Zola, il fait la connaissance de Cézanne, Duranty, Taine, Renan, Maxime Du Camp.

**1875** : Guy loue une chambre à Bezons, à l'auberge Poulin, que l'on retrouve dans *Une partie de campagne.* Il commence un drame historique en vers, *La Trahison de la comtesse de Rhune,* publié en 1927 par Pierre Borel dans *Le Destin tragique de Guy de Maupassant.*
(19 avril) : Représentation devant un cercle fermé d'une pièce bouffonne et égrillarde, *À la feuille de rose, maison turque.*
En février, avait paru, dans l'*Almanach lorrain de Pont-à-Mousson,* sous la signature de Joseph Prunier, *La Main d'écorché.*

**1876** : Le Vaudeville refuse une pièce qu'il venait d'achever, *Une répétition,* ce qui explique ses propos à Robert Pinchon :
« Quant à moi, je ne m'occupe pas de théâtre en ce moment. Décidément, les directeurs ne valent pas la peine qu'on travaille pour eux ! Ils trouvent, il est vrai, nos pièces charmantes, mais ils ne les jouent pas, et pour moi, j'aimerais mieux qu'ils les trou-

vassent mauvaises, et qu'ils les fissent représenter. »

(20 mars) : Publication, sous le pseudonyme de Guy de Valmont, d'un poème, *Au bord de l'eau,* dans *La République des Lettres* de Catulle Mendès.

**1877** : Les premiers signes de la syphilis (alopécie) apparaissent. « J'ai la grande vérole, celle dont est mort François 1$^{er}$ », écrit-il à Robert Pinchon le 2 mars.

(16 avril) : Dîner au restaurant Trapp, à l'angle du passage du Havre et de la rue Saint-Lazare, qui réunit, autour de Flaubert, Edmond de Goncourt et Émile Zola, leurs jeunes disciples Alexis, Céard, Hennique, Huysmans et Mirbeau. Ce dîner est considéré comme le repas de baptême du Naturalisme.

(31 mai) : Deuxième représentation d'*À la feuille de rose,* dans l'atelier de Becker, 26, rue de Fleurus.

(Août) : Ayant obtenu un congé médical de deux mois, saison aux eaux de Louèche, dans le Valais.

(Décembre) : Maupassant commence à penser à un roman, qui sera *Une vie.*

**1878** : Il continue à travailler à son roman.

Malgré les recommandations, son drame *La Comtesse de Rhune* est refusé au Français.

(Décembre) : Après de multiples démarches dont les correspondances se font l'écho, Flaubert obtient d'Agénor Bardoux qu'il s'attache Maupassant au ministère de l'Instruction publique.

Sa santé continue à lui donner d'assez sérieuses inquiétudes.

**1879** : Attaché au premier bureau du cabinet et du secrétariat à l'Instruction publique. Malgré de bons rapports avec son chef de bureau, Xavier Charmes, il ne se sent pas plus à l'aise à l'Instruction publique qu'à la Marine.

(19 février) : Première de *L'Histoire du vieux temps* chez Ballande.

(Septembre) : Voyage en Bretagne et à Jersey.

(Octobre) : Publication dans *La République des lettres* d'un article, *Gustave Flaubert*.

(1er novembre) : Publication dans *La Revue Moderne et Naturaliste* du poème *Une fille*, donné en 1876, sous le titre *Au bord de l'eau*, à *La République des Lettres*. Mme Adam, directrice de *La Nouvelle Revue*, refuse *Vénus rustique*, malgré la recommandation de Flaubert.

1880 (11 janvier) : Le juge d'Étampes le cite à comparaître. Le poème *Une fille* lui a valu d'être « prévenu d'outrage à la morale publique et religieuse et aux bonnes mœurs ». Flaubert intervient et le conseille.

(14 février) : Convocation devant le juge d'instruction d'Étampes.

(26 février) : Le procureur général invite le procureur de la République à requérir un non-lieu.

(28 mars) : Il aide Flaubert, à Croisset, à recevoir Edmont de Goncourt, Émile Zola et Gustave Charpentier. Son état de santé l'oblige à se faire mettre en disponibilité (troubles oculaires et cardiaques, alopécie, etc.).

(8 mai) : Mort de Flaubert.

(Novembre-décembre) : Travaille à *La Maison Tellier*. Année très importante pour Maupassant qui voit publier ses deux premières œuvres en volume, *Boule de suif*, le 16 avril, dans le recueil *Les Soirées de Médan* (en collaboration avec Zola, Huysmans, Céard, Hennique et Alexis) et, le 25 avril, *Des vers*.

1881 : Maupassant continue à souffrir de névralgies.

(Mai) : Publication de *La Maison Tellier*, chez Havard.

(Juillet) : Voyage en Algérie, en qualité d'envoyé spécial du *Gaulois*. C'est là qu'il rencontre Jules Lemaitre qui n'éprouva pour lui que peu d'attrait.

(Novembre) : Reprend son travail pour *Une vie*.

Publie des poèmes érotiques dans *Le Nouveau Parnasse Satyrique* (Bruxelles).

**1882** (janvier) : Se blesse d'un coup de revolver à la main.

(5 mai) : Sortie de *Mademoiselle Fifi* (Kistemaeckers, Bruxelles).

(Juillet) : Voyage en Bretagne. Il suit l'itinéraire de Flaubert et Du Camp dans *Par les champs et par les grèves*.

Maupassant est rayé des cadres du ministère de l'Instruction publique.

**1883** : Reçoit les soins du Dr Landolt, qui écrivait, le 20 octobre 1903, à Albert Lumbroso :

« Ce mal, en apparence insignifiant (dilatation d'une pupille), me fit prévoir cependant à cause des troubles fonctionnels qui l'accompagnaient, la fin lamentable qui attendait fatalement (dix ans plus tard) le jeune et autrefois si vigoureux et vaillant écrivain. »

(Mars) : Publication chez Quantin (« Les Célébrités contemporaines ») d'une étude sur Émile Zola.

(Avril) : Publication d'*Une vie* (Havard), donné en feuilleton au *Gil Blas* à partir de la fin de février.

(Juin) : Publication des *Contes de la Bécasse* (Rouveyre et Blond).

(Juillet-août) : Cure à Châtelguyon.

**1884** (2 février) : L'*Étude sur Gustave Flaubert* sert de préface aux *Lettres de G. Flaubert à G. Sand* (Charpentier).

*Au soleil* (Havard) paraît au début de l'année et il parle du volume à son éditeur le 1er ou le 2 janvier (il a ajouté 30 lignes à *Bou-Amama*), en demande des nouvelles fin janvier, s'étonne en mars qu'il n'y ait pas eu d'articles...

(Mai) : *Miss Harriet* (Havard) (achevé d'imprimer le 22 avril).

(Juillet) : *Les Sœurs Rondoli* (Ollendorff).

(Août) : *Yvette* commence à paraître dans *Le Figaro*.

(Octobre-novembre) : Recueil *Yvette* (Havard).

Cette année-là, il emménage 10, rue Montchanin, au rez-de-chaussée d'un hôtel particulier que son cousin Louis Le Poittevin avait fait construire. C'est le « signe » de la promotion sociale. Ses habitations antérieures (rue Moncey, une chambre chez son père, 1869-1876, 17, rue Clauzel, 1876-1880, 83, rue Dulong, fin 1880-1884) étaient beaucoup plus modestes.

**1885** (mars) : *Contes du jour et de la nuit* (Marpon et Flammarion).

(Avril) : Voyage en Italie avec le peintre Henri Gervex, Henri Amic, auteur de souvenirs sur Maupassant, et le peintre Louis Legrand.

(Mai) : Voyage en Sicile. Le cimetière des capucins à Palerme le marque assez profondément.

(6 avril-30 mai) : *Bel-Ami* paraît en feuilleton dans le *Gil Blas*. Le roman sort en volume chez Havard en mai.

(Mi-juillet-mi-août) : Séjour à Châtelguyon, où il prépare *Mont-Oriol* :

« Je viens de faire d'*admirables* excursions en Auvergne, c'est vraiment un pays superbe et d'une impression bien particulière, que je vais essayer dans le roman que je commence. » (17 août, à Henri Amic.)

(Décembre) : Publication de *Monsieur Parent* (Ollendorff).

Préface pour une réédition de *Manon Lescaut* (Laurette).

*Contes et Nouvelles* (premier recueil de morceaux choisis, chez Charpentier).

**1886** : Parution de *Toine* (Marpon et Flammarion. Achevé d'imprimer à la fin de 1885). Maupassant passe le début de l'année à Antibes, d'où il écrit, le 21 janvier à un certain Thiébault-Sisson : « Quant à

*Yvette* (*pièce inachevée*), le plan de la pièce est fait depuis un an, et ce n'est que la multiplicité de mes besognes qui m'a empêché jusqu'ici de l'écrire. »
(10 mai) : Publication de *La Petite Roque* (Havard).
(Juillet) : Séjour à Châtelguyon.
(Entre le 1er et le 15 août) : Il est l'hôte du baron Ferdinand de Rothschild au château de Waderden. Visite Oxford, qui était à la mode, mais, à Londres, se contente du musée Tussaud et du théâtre Savoy. Blanche Roosevelt rapporte qu'il ne retira guère de plaisir de ce voyage (*Woman's World*, 1888-1889).
(23 décembre) : Début de la publication de *Mont-Oriol* dans le *Gil Blas*.

**1887** (janvier) : Publication de *Mont-Oriol* (Havard).
(17 mai) : Publication du *Horla* (Ollendorff).
(Juin-juillet) : Séjour à Étretat dans sa villa, « La Guillette », où il retourne en septembre pour terminer *Pierre et Jean* et écrire l'*Étude sur le roman* qui lui servira de préface.
(8-9 juillet) : Voyage en ballon.
(Octobre) : Voyage en Afrique du Nord, qui se prolonge jusqu'à la fin de l'année.
Léopold Lacour écrit à Lumbroso :
« L'année où je fis la connaissance de Maupassant est celle où le " souffle redoutable des sciences occultes " le toucha, car le *Horla* est de 1887 ; mais, cette nouvelle mise à part, il était encore, à cette époque, le Maupassant de la *Vénus rustique* et de *Bel-Ami*. »
Sa santé, néanmoins, décline et il lui faut sans cesse rechercher les ailleurs.

**1888** (janvier) : Procès avec *Le Figaro* qui a tronqué l'*Étude sur le roman,* publiée dans ses colonnes le 7. Maupassant commence à se croire toujours lésé et à engager plusieurs procédures contre ses éditeurs.
(9 janvier) : Parution de *Pierre et Jean* (Ollendorff).
(28 mars) : Achevé d'imprimer du *Rosier de M^{me}*

*Husson,* illustré par May (Quantin). Il s'agit du conte isolé, et non du recueil.

(Juin) : Publication de *Sur l'eau* (Marpon et Flammarion).

Les maux de tête se multiplient de manière inquiétante et il va, en septembre-octobre, à Aix-les-Bains.

(10 octobre) : Publication du recueil *Le Rosier de M^{me} Husson* (Quantin).

(Novembre-décembre) : Voyage en Afrique du Nord.

**1889** (23 février) : Publication de *La Main gauche* (Ollendorff).

(Mai) : Publication de *Fort comme la mort* (Ollendorff).

(Août) : Hervé de Maupassant est conduit par son frère à l'asile psychiatrique de Lyon-Bron.

(Août-octobre) : Croisière sur le *Bel-Ami.*

(13 novembre) : Mort d'Hervé de Maupassant.

**1890** (6-24 janvier) : Publication de *La Vie errante* dans *L'Écho de Paris.*

(14-23 février) : Publication du *Champ d'oliviers* dans *Le Figaro.*

(Mars) : Publication de *La Vie errante* (Ollendorff).

(Avril) : Publication de *L'Inutile Beauté* (Havard). Emménagement 24, rue Boccador.

(15 mai) : Début de la publication de *Notre cœur* dans *La Revue des Deux Mondes.*

(Juin) : Publication de *Notre cœur* (Ollendorff).

La santé de Maupassant se dégrade de jour en jour. Il multiplie les consultations aux médecins les plus qualifiés et les essais de traitements. Tout échoue et son entourage l'estime perdu.

**1891** (Janvier-mars) : Les consultations médicales se poursuivent, toujours aussi vaines. Il essaie d'écrire une nouvelle, ou plutôt un roman, *L'Angélus,* qu'il ne parviendra pas à terminer et dont *La Revue de*

*Paris* publiera les fragments à titre posthume, en 1895.

(Juin) : Il part pour Divonne prendre les eaux. Quelques jours plus tard, il projette d'aller à Champel :

« J'allais me sauver je ne sais où, vers le soleil, très hésitant, quand je reçus une lettre de Taine me conseillant fort l'établissement rival de Divonne, Champel, à dix minutes de Genève. Il y fut guéri l'an dernier en 40 jours d'une maladie toute pareille à la mienne — impossibilité de lire, d'écrire, de tout travail de la mémoire. Il se crut perdu. Il fut guéri en 40 jours. Mais il revint cette année juste à temps. Le poète Dorchain y est en ce moment avec les mêmes accidents que moi. Il a retrouvé le sommeil, rien que ça. Parbleu, c'est tout, ça ! » (Lettre à sa mère, 27 juin.) De son côté, Dorchain, dans *Quelques Normands, Annales politiques et littéraires* du 3 juin 1900, rapporte que le Dr Cazalis (*alias* Jean Lahor), lui aurait confié : « Hélas ! son mal n'est pas le vôtre, vous ne tarderez pas à le voir. »

(Novembre-décembre) : Il engage des procès à tort et à travers contre ses éditeurs pour des faits contestables ou futiles. Ses lettres attestent la dégradation de ses facultés intellectuelles et il perd le contrôle de soi.

(Noël) : Il réveillonne avec Marie Kann, inspiratrice de *Notre cœur* et sa sœur, M^me Albert Cahen aux îles Sainte-Marguerite. Il était alors au chalet de l'Isère, à Cannes, où il avait, quelques jours auparavant, rédigé son testament.

Publication de *Musotte* (Ollendorff), qui avait été représentée le 4 mars au Gymnase.

1892 : Maupassant dîne chez sa mère pour le nouvel an. Il est particulièrement nerveux. Rentré à Cannes, dans la nuit du 1er au 2 janvier, il tente de se couper la gorge.

(8 janvier) : Entre à la clinique du Dr Blanche où, malgré les soins de ses médecins, les docteurs

Blanche et Meuriot, il sombre chaque jour davantage dans un gâtisme coupé d'instants de lucidité.
Le traitement de la paralysie générale était alors
inconnu.

**1893** (6 mars) : Représentation de *La Paix du ménage*
à la Comédie-Française et publication de la pièce
(Ollendorff).
(6 juillet) : Mort de Guy de Maupassant.
(9 juillet) : Inhumation au cimetière du Montpar-
nasse, 26ᵉ section.

N.B. : Une chronologie de Maupassant n'est
jamais, en l'état actuel des connaissances, assurée
d'être exempte d'erreurs. Des inexactitudes, qui
figuraient dans les ouvrages anciens d'Édouard
Maynial (1906) ou de René Dumesnil (1947) qui les
reprenait parfois, ont été répétées fréquemment.
Ainsi, pour les œuvres, les dates d'achevé d'imprimer et de publication ont pu être confondues. Dans
son *Maupassant le Bel Ami* (1967), Armand Lanoux
a fait déjà d'heureuses rectifications. La publication
de la *Correspondance* par Jacques Suffel, en 1973, a
permis de préciser des datations, mais un grand
nombre de lettres n'étaient pas datées. S'ajoute à
cette confusion la multiplicité des rééditions et des
éditions partielles. Il semble que la chronologie la
plus fiable aujourd'hui soit celle de Louis Forestier
dans l'édition des *Contes et Nouvelles* (La Pléiade,
1979).

# TABLE

# TITRES RÉCEMMENT PARUS

## GF GRAND-FORMAT

Vous trouverez chez votre libraire le catalogue complet de notre collection